絶叫学級

パーティーのいけにえ 編

いしかわえみ・原作/絵
はのまきみ・著

集英社みらい文庫

もくじ

127時間目

ハロウィンホラーナイト

プロローグ

みなさん、こんにちは。
絶叫学級へようこそ。
私の名前は黄泉。
恐怖の世界の案内人です。
チャームポイントは、この長い髪と、金色に輝く瞳。
不気味な瞳ですって？　猫みたいですてきでしょう？
下半身が見えないかもしれませんが、お気になさらず。
私はずっとこの姿ですごしているので、ちっとも問題ありません。
それでは、授業をはじめましょう！
秋の大きなイベントといえば、ハロウィン。

十月三十一日が、そのお祭りの日です。

家のまわりをカボチャで作った顔――ジャック・オー・ランタンで飾ったり。

魔女やオバケに仮装をした子どもたちが、お菓子をもらってまわったり。

現在ではそういう楽しいイベントですが、もともとは、「死者の霊が家族を訪ねてくる日」の行事だったそう。

霊がやってくるなんて、なんだかとてもワクワクしませんか？

恐怖の授業が大好きなみなさんには、ぴったり。

でもたまに、仮装の子どもたちのなかに、まぎれこむことがあるようです。

〝本物〟の魔物が――。

「じゃんっ！」

小学六年生の西藤百菓は、自室の鏡の前でポーズを作り、微笑んだ。

フリルスカートの黒いワンピースに、ボレロ風の黒マント、二の腕までの長い手袋。

モノトーンのオーバーニーハイソックスも、かわいくきまっている。

「うん、カンペキ」

服がちょっとホラーな雰囲気なので、髪はふだんどおりのツインテールにした。

さながら〝吸血鬼少女〟といったところ。

鏡で着こなしをチェックしていると、突然、背後から声をかけられた。

「なんでそんな恰好してんの？」

「わっ！」

びっくりして振りかえると、弟のタカヤが開いていたドアからなかをのぞいている。

タカヤは、生意気ざかりの小学三年生。

マイペースなうえに、あれが食べたい、これがほしいとおねだりするのが上手で、家族はよく振りまわされていた。

またおねだりされるのかな？　といやな予感がして、軽くあしらう。

「今日は友だちと、ハロウィンパーティーなの。ジャマしないでよね～」

「……………」

百菓の顔を、なにか言いたげにみつめるタカヤ。

「な、なによ」

「彼氏も来るからって、はしゃいでんだろ」

「なっ！」

百菓の顔が真っ赤になった。

「なにソレ！　いーじゃん、別に!!」

「やっぱな。俺の思ったとおり」

タカヤがニヤニヤ笑いを浮かべる。

「つきあったばっかりだもん、はしゃぐわ!!」

と、百菓が手もとにあった小さいクッションを投げたが、タカヤはうまくよけて、大笑いしながら逃げていった。

「まったくもう……」

はーぁっとため息をついて鏡にむきなおり、前髪をととのえる。

(ずっと好きだった秋田くん——)

百菓は四年生のころから、別のクラスの秋田慎のことが好きだった。

やさしくて、しっかりしていて、ほかの男子たちより大人っぽい。

六年生にあがってついに同じクラスになれたときは、あまりにうれしくて、一週間ほどぼうっとしていたくらいだ。

ふたりはとなり同士の席になり、おしゃべりする機会も増えて、ぐっと距離がちぢまった。

でも、気さくな慎は、男子にも女子にも友だちが多い。

（きっと私も、友だちとしか思われてないんだろうな………）

そう思って、悲しくなることもあった。

ところが、つい一か月ほど前、ひょんなことからおたがいの気持ちがわかり、つきあうことになったのだ。

修学旅行の班決めのくじびきで、ふたりは偶然いっしょの班になった。男子三人、女子三人の六人グループだ。

グループにわかれ、班行動のスケジュールをたてていたとき、男子のひとりが言った。

『秋田、おまえさ、西藤さんにばっかやさしくね？』

すると、もうひとりの男子が笑う。

『しょーがねーじゃん。こいつ、西藤さんのこと好きなんだし』

（………え？）

百菓がきょとんとする横で、女子ふたりがキャーキャーとさわぎだす。ふたりとも、百菓が慎を好きだと、以前から知っていたのだ。

『待ってまって、それマジで!?』

『百菓と秋田くん、両想いじゃん！』

慎も、百菓と同じくらいおどろいているらしく、顔を赤らめている。

男子たちが、机に身をのりだした。

『マジか！　両想いならつきあえよ！』

『くっつけ〜』

四人にはやしたてられ、百菓と慎はますます頬を赤く染めた。

慎が照れながら言う。

『え…………と、じゃあ、つきあう？』

『う、うんっ』

百菓がこくりとうなずく。

こうしてふたりはつきあうことになり、それ以来、クラスでも公認の仲良しカップルになったのだった。

（本当に夢みたい）

あのころもそう思ったし、いまでも夢みたいだと思う。

（つきあって初めてのパーティー。いいトコ見せなきゃ）

百菓が気合いを入れてかわいい仮装をしたのは、そういうわけだ。

「みんなに渡すお菓子もバッチリ」

百菓の特技はお菓子作り。

バレンタインのときにいつも作るトリュフは「高級店のチョコみたい」とほめられるし、ふわふわのスポンジを焼いてホールケーキだって作ったことがある。

今回は、得意のパンプキンマフィンを作った。チョコレートペンでジャック・オー・ランタンの顔を描いた、なかなかの力作だ。

あとは、マフィンをラッピングバッグに入れたら準備完了だった。

百菓は上機嫌で部屋をでて、階段をおり、ダイニングキッチンへむかった。

ところが、戸棚のなかにしまっておいたマフィンがない。ひとつも。

「あれ？　昨日作ったマフィンが……」

母親が別の場所に移動させたのかもしれない。そう思い、食器棚や冷蔵庫のなかをさがしていると、タカヤが通りかかる。

「ねえ、タカヤ。お姉ちゃんのマフィン見なかった？」

タカヤはけろっとした顔でこたえた。

「あ、あれ姉ちゃんの？　食っちゃった」

「は――――!!?」

「うまかったよ。さすが姉ちゃん！」

キリッと親指を立てると、タカヤはすたすた歩いていってしまった。

キッチンの床にがっくりとひざをつく百菓。

「うそでしょ………」

がんばって焼いた力作のマフィンを、全部食べられてしまうなんて、想定外の出来事だ。

しかも家にはいま、みんなに配れるようなかわいいお菓子はない。

さっきリビングで、個包装されていないおせんべいは見かけたが、ハロウィンパーティーでラッピングもされていないおせんべいを配るわけにはいかない。

家をでる時間のことを思いだして、顔をあげる。

「ちょちょ、いま何時？」

壁かけ時計は午後四時半。パーティーがはじまる時間まで三十分しかない。

「うわ、もうでなきゃ！」

パーティー会場はクラスメイトの月子の家だった。ここから歩いて十五分ほどの場所にある。

きれいにラッピングする時間を入れても、じゅうぶん間に合うと思ったのに。いまからお菓子を買いに行く時間はあるだろうか。

「タカヤのバカ!!」

百菓はそう怒鳴ると、大あわてで家を飛びだしていった。

「コンビニまで走って二十分……間に合わないよ～」

このあたりは商店街からはなれた住宅地で、かわいいお菓子を売っているような店がない。

近所に一店だけあったコンビニは、つい最近閉店してしまい、いまやコンビニに行くにも二十分以上もかかってしまう。スーパーはさらに遠くて、車か自転車が必要だ。

それでもコンビニまで行こうと決心し、百菓はいつもとちがう道を走りだした。

（せっかく秋田くんにあげようと思ったのに）

じわりと涙がにじむ。

（マフィン、上手に焼けたのにな………）

ハァハァと息をきらしながら走っていたそのとき。

百菓の目に、古びた大きな屋敷が飛びこんできた。

その区画にならぶほかの家とはちがい、どことなく洋館を思わせるつくりだ。

屋敷をとりまく鉄の柵は、上をむいた先端が剣先のようにとがっていて、まるでファンタジーに登場するオバケ屋敷のようだった。

（こんな家、近所にあったんだ）

ふしぎなたたずまいに、足が自然ととまる。百菓はその屋敷をまじまじとながめた。

門扉には「売地」の看板がかけられている。なかに人は住んでいないようだ。

ところが、塀の上や柵の内側の植えこみに、カボチャをくりぬいて作ったジャック・オー・ランタンがおいてある。

（屋敷の持ち主が、ハロウィンの飾りつけだけやっていったのかな？）

せっかく秋田くんに…
売地
Fruit GUM

よく見ると、塀の上には、カボチャの頭のほかに、カラフルな小袋がたくさんのっている。

「お菓子だ！」

思わずそう言い、百菓は屋敷の塀にかけ寄った。

「おいしそう………」

なんと、個包装された外国風のお菓子が、無造作におかれているではないか。

カラフルなキャンディーやチョコレート。パッケージに英字が入っているグミやガム。

ラムネにビスケット………どれもオシャレでおいしそうだ。

(これって………パーティーに持っていくのにぴったりじゃない？)

百菓はしばらくながめていたが、ごくりとつばをのみこむと、意を決してお菓子をごっそりと手でつかんだ。

「カボチャさん、ごめんなさい」

塀の上のカボチャは、三角形にくりぬいた目を横切り、ざくっと切りつけたような傷が彫ってある。

（うわ、こわい顔してるな………）

そう思いながら、持ってきた袋に、お菓子を全部つめこんだ。

「かわいそうな私を助けてください！」

百菓はいそいで月子の家へかけていった。


偶然みつけたお菓子のおかげで、百菓はどうにか開始時間より前に、月子の家に着くことができた。

「百菓、いらっしゃーい」

ツノつきカチューシャをした月子がでむかえる。背中に小さなコウモリのような羽をつけ、悪魔の仮装をしていた。

「月子の仮装、めちゃくちゃかわいい！」

「百菓の吸血鬼もかわいいよ～」

リビングに行くと、黒とオレンジ色の風船やフラッグガーランド、カボチャやオバケの置物などがあちこちに飾られていた。

「わぁ、すごい！　ハロウィンって感じ！」

集まった友だちは十人以上。みんな思いおもいの仮装をしている。

頭や体を包帯でぐるぐる巻きにし、血のりをつけた男子。慎の親友、藤川淳也だ。

魔女風のとんがり帽子をかぶっているのは、修学旅行の班がいっしょだった女子。

狼男のつもりなのか、動物の着ぐるみのようなものを着た男子。

アリスとマッドハッターの仮装をしたふたり組。

そして、シックなベストとパンツを着て、首から十字架のペンダントをさげた慎。

(秋田くん、もういる)

百菓の顔がほてった。

首もとにリボンタイをし、黒手袋をした慎は、いつにも増して恰好よく見える。

ドキドキしてしまった百菓は、照れかくしに、お菓子の入った袋を慎に渡す。

「これ、お菓子っ」

「ありがとう」

慎は袋を開けて、なかをのぞきこんだ。

「かわいいお菓子がいっぱいだね。テーブルの上にだしていい？」

「うん。手作りじゃなくてごめんね。弟が食べちゃって……」

慎はやさしい笑顔を百菓にむける。

「いいよ、お菓子はまた作ってよ。今度は俺だけに」

「うん！」

ふたりのやりとりを、まわりの友だちがニヤニヤしながら見ている。

「ヒューヒュー」

「ラブラブやめてーっ」

百菓と慎は照れ笑いしながら、お菓子やジュースの準備を手伝った。

飲み物の入ったプラカップがみんなにいきわたると、月子が乾杯のあいさつをした。

「今夜は楽しいハロウィンナイトにしようね！　かんぱーい！」

すると、包帯ぐるぐる巻きの淳也がつっこむ。

「つーか、今日はトリック・オア・トリートじゃね？」

「そーか。それじゃあらためて。トリック・オア・トリート！」

「「「トリック・オア・トリート!」」」

みんなが陽気な声をあげ、パーティーがはじまった。

テーブルの上には、みんなで持ち寄ったお菓子のほかに、月子の母親が用意してくれた料理もある。

百菓と慎はとなり同士のいすに座った。

「西藤の仮装は……………魔女?」

「ちがうよー。吸血鬼だよ」

と、服がよく見えるように、両腕をひろげる。

「牙もつけたかったんだけど、やり方がわかんなくて」

「あははは。俺はなんだと思う?」

百菓は慎の服をまじまじとみつめた。

(うわ…………やっぱりかっこいいな)

何度見ても、ほれぼれしてしまう。

(秋田くんが私の彼氏なんて、まだ信じられない)

百菓がなかなかこたえを言わないので、慎は困ったように笑った。

「もしかして、わかりづらいかな」

「いやっ、えっ、そういうわけじゃなくて………」

(見とれてたなんて言えないよっ)

「んー、神父さん?」

「おしい。バンパイア・ハンターだよ。このペンダントでやっつける」

そう言って、首にかけている十字架のペンダントを、百菓の前にかざした。

「えーっ、じゃあ私、吸血鬼だからやられちゃうじゃん!」

「あはははは!」

ふたりは顔を見合わせて大笑いした。

(楽しいな、好きな人とすごすパーティーって)

お料理もお菓子も、ジュースもおいしい。

みんな笑顔ではしゃいでいる。

(来年もまた、ハロウィンパーティーをやれるといいな)

百菓は、慎の横顔をちらりと見た。

(秋田くんといっしょに………)

そのとき、玄関のチャイムが鳴った。

「はいはい、まだ誰か来るのかな?」

月子の母親が気づき、リビングをはなれていそいそと玄関へむかう。

ドアを開けると、そこには、黒いマントを身に着けた、ジャック・オー・ランタンが立っていた。

「いらっしゃーい。入って。もうはじまってるわよ」

六年生にしては少し背が高いように思えた。

目と鼻、口をくりぬいた大きなカボチャをかぶっている。

それは本当に大きくて、ずいぶんと頭でっかちに見えた。

黒いマントは、くるぶしにとどくほど長く、体をすっぽりおおっている。仮装は完璧だった。

「トリック・オア・トリート」

ジャック・オー・ランタンが、カボチャマスクごしのくぐもった声でそう言い、月子の母親は思わず微笑む。

「ふふっ。はいはい。とてもよくできた仮装ね」

「トリック・オア・トリート」

「みんな待ってるわよ。とりあえずなかに…………」

「トリック・オア・トリート」

彼はなかに入ろうとせず、同じ言葉をくりかえすばかりだ。

月子の母親は、さすがに気味が悪くなり、顔をこわばらせた。

「あなたもしかして、月子のクラスメイトじゃ――――」

グシャッ。

なにかがつぶれるような大きな音が、玄関にひびく。

つづいて、バキバキ、ブチブチという奇妙な音。

その音は、リビングにいる百菓たちにもとどいた。

「…………？　なに？　いまの音」

百菓が玄関のある方向を見ると、月子が首をかしげる。

「ご近所さんでも来たのかなぁ」

月子が立ちあがり、テーブルをはなれる。

「ちょっとママー。どうしたの？」

淳也も立ちあがって、あとをついていく。

「なんだなんだ？」

お調子者の彼は、こういうときにかならず野次馬根性を発揮するのだ。

「ママー？」

月子と淳也は暗いろうかにでていった。玄関も明かりはついていない。

見ると、玄関のドアが半分ほど開いていた。

奇妙なことに、ドアのむこうにあるコンクリートが、なぜかぬれているように見える。

「月子のお母さん、ドア閉めないで水まきでもしてるのか？」

「まさか。こんな時間に水まきなんかしないよ」

グチャ、グチャ、ムシャムシャ――。

あの気味の悪い音は、ドアの裏あたりから聞こえてくる。

「ママ……？」

月子と淳也は立ちどまり、外をよく見ようと目を細めた。

コンクリートをぬらしているのは、水ではなく血のように見える。

すると突然、ぬれたコンクリートの上になにかが落ちた。

手だった。

ちぎれて手首から先だけになった手――。

「キャアアア!!」

「うわあああ!!」

ふたりは叫び、腰を抜かしそうになりながらろうかを走る。

リビングにいたみんなは、おどろいておしゃべりをやめ、「なに？」「どうしたんだろ？」と口々に言う。

飛びこんできた月子と淳也は、動転してわめいた。

「みんな逃げ――」

そのうしろから、大きな人影がぬっとあらわれた。

黒いマントを着たジャック・オー・ランタンだ。

「トリック・オア・トリート」

彼は低い声でそう言った。

ギザギザに大きくくり抜かれた口のまわりは、赤い液体で汚れている。

血のようにも見えるが、淳也だって包帯に血のりをつけている。ハロウィンの夜は、赤く染まった口を見ても、誰もおどろかないし、こわがらなかった。

「仮装、すごくね？」

「誰がやってるの？」

そんなことを言いながら、月子と淳也以外のみんなは、お菓子を食べたりジュースをのんだりしている。

しかし、百菓だけは、そのカボチャ頭を見て目をまるくした。

（あ……あれって………）

彼がかぶっているカボチャは、三角形にくりぬいた目の上を、ななめに傷のようなものが横切っている。

（もしかして、あの屋敷の………）

彼はマントのなかから、するりと両手をだして前にのばし、手のひらを上にしてひろげた。

まるで、お菓子をちょうだい、と言っているかのように。

「トリック・オア・トリート」

みんなは戸惑い、苦笑いをした。

「え？」

「なに？」

「ていうか、中身、誰？　うちのクラスの子？」

ジャック・オー・ランタンは、それしか言葉を知らないかのように、またくりかえす。

「トリック・オア――トリート」

彼の大きく開いた口から、ぬるりとなにかがでてきた。

ドサッ。

床に落ちたものを見て、みんなは一斉に悲鳴をあげた。

「きゃぁぁあっ!!」

「うわ――っ!!」

それは、血まみれの腕だったのだ。

「逃げろ！　みんな逃げろ！」

誰かが叫んだ。しかし玄関へ逃げたくても、ジャック・オー・ランタンの大きな体が出入り口をふさいでいる。

「窓だ、窓を開けろ！」

誰かが掃きだし窓を開け、みんなが次々に飛びだしていく。

そんななか、まだ百菓は、カボチャ頭をみつめて呆然としていた。

「西藤！」

慎が百菓の腕をつかみ、ひっぱる。

「逃げるんだ！」

「う、うん………」

あ…
あれって…
トリック オア トリート
え？
何？
ドサッ

ふたりは走って外へ飛びだした。

みんなは靴下のままアスファルトの上を走った。ときどき小石を踏んだが、立ちどまっている場合ではない。

百菓は走りながら、まだ考えていた。

(なにあれ………)

あのカボチャは、大きさも、色も、目の傷も、屋敷の塀の上においてあったカボチャそのものだ。

誰かがあのカボチャをかぶっているのだろうか。

それとも………。

(なにあれ!!)

考えれば考えるほど、あの屋敷のカボチャに思えてくる。

みんなは無我夢中で走り、月子の家からじゅうぶんにはなれた場所にたどり着くと、ようやく立ちどまった。

しかし、そこにいたのは全員ではなかった。はぐれてしまった子も何人かいる。

慎はみんなをおちつかせるように、ゆっくりと言った。

「俺たちは警察に電話する。女子は家に帰って」

女子たちは顔を見合わせ、言葉もなくうなずく。

恐怖に震えていた百菓に、慎は小さく声をかけた。

「また電話する」

「うん………」

百菓はすがるようなまなざしを慎に送り、ほかの女子たちといっしょに出発した。

みんないまにも泣きだしそうだった。

ひとり、またひとりと家に着く。

「百菓、この先はひとりになっちゃうけど、大丈夫？　気をつけてね」

最後に残るのは、一番家の遠い百菓だ。

「うん。大丈夫だよ。ありがとう」

百菓が手を振ると、友だちも手を振り、ほっとしたように家のなかに入っていく。

ひとりになった百菓は、わき目も振らずに家まで走った。

（なんなのあれ………）

目に傷のあるジャック・オー・ランタン――一体何者なのだろうか。

（あのカボチャ………誰かがかぶって、仮装してるの？）

家に着き、ガチャガチャと急いで玄関の鍵を開ける。

（まさか――）

トリック・オア・トリート。

ジャック・オー・ランタンはずっとそう言っていた。

その意味は。

お菓子をくれなきゃ、イタズラしちゃうぞ。

（つまり、お菓子をあげないかぎり………私がお菓子を盗んだから………）

百菓は否定するようにぶんぶんと首を振り、ドアを開けた。

「関係ない。あんなことで……」

家には誰もいなかった。暗く、しんと静まりかえっている。

明かりをつけてダイニングキッチンに行くと、テーブルの上にメモがある。

　レストランに行ってきます。

　甘いものを食べたいとせがまれました。ママ

その下に、タカヤの雑な字と、べーっと舌をだした、顔文字のような絵がある。

　いいだろ〜　タカヤ

「……」

百菓は言葉を失った。

まさかこんなときに、家でもひとりぼっちになってしまうなんて。

リビングのカーテンをそっと開けて、掃きだし窓からガレージを見ると、車がない。車でレストランにでかけたのだろう。

ハロウィンパーティーは八時までと、両親には伝えてあった。きっとその時間まで帰ってこない。

八時までは、まだ一時間以上あった。

「じっと待ってるしかない……………帰ってくるまで」

ザッ、とカーテンを閉め、立ちすくむ。

「いまごろ、秋田くんたちが警察に…………」

そのとき、スマートフォンの着信音が鳴った。ポケットからとりだすと、慎の名前が表示されている。いそいで通話ボタンをタップする。

「もしもし!!」

「西藤、無事か？」

「うん。秋田くんは？」

ハァハァと乱れた呼吸が聞こえてくる。いままであちこちを走って逃げまわっていたのかもしれない。

「あのカボチャ、先まわりしてた。電話しようとしたら…………目の前に立ってて……
……」

そこまで言うと、慎は息をととのえるようにごくりとのどを鳴らす。

「藤川と金岡が…………」

「えっ、藤川くんと金岡くんが、どうしたの!?」

慎はこたえず、かわりにくやしそうな声が返ってきた。

「なんだよ……俺たちがなにしたって言うんだよ!!」

そのひとことを聞き、百菓はふたたび思いだした。

あの屋敷のお菓子を盗んでしまったことを。

なにかをしたとすれば、百菓だ。こんなことになってしまったのは、百菓のせいなのかもしれない。

「あ、あの、私――」

と言いかけた百菓の声を、慎がさえぎった。

「警察にはもう電話した……西藤はほかの女子にも電話してみて……」

「う、うん。わかった……」

「じゃあ」

通話がきれ、家のなかはしんと静まりかえった。

「み、みんなに電話しなくちゃ」

百菓は震える手でスマートフォンをにぎり、今日のパーティーに来ていた女子に電話をかけていった。

しかし、誰にかけても、プルルルという呼びだし音がつづくばかりで応答しない。

「どうして誰もでないの？」

あと電話をしていないのは、月子だけ。

百菓はスマートフォンの画面をスクロールして月子のアイコンをだし、電話をかける。

何度か呼びだし音が聞こえたあと、月子は電話にでた。

「もしもし、月子？　よかった、でてくれて」

ほっとして思わず笑みがこぼれる。しかし、月子の返事はない。
「もしもし？　私の声、聞こえてる？　月子……」
すると、小さなうなり声が聞こえてきた。
「――……た……すけ……」
それきり、月子の声は聞こえなくなった。
かわりに、グシャ、バキバキと異様な音がし、唐突に電話がきれた。
ふたたび、家のなかが静まりかえる。
百菓の手は、恐怖でじっとりと汗ばんでいた。頭が混乱する。
(あれは、私たちをねらってるんだ)
月子がどうなったのかはわからない。でもきっと……。
たぶん藤川くんと金岡くんも、同じ目に。
(……いや、私たちじゃない。私をねらってるんだ)
ジャック・オー・ランタンは、お菓子を盗んだ百菓をさがしているにちがいない。
だとすると。

次は……次は……。

「私の番!?」

百菓の心臓がドクンドクンとはねた。恐怖に息がとまりそうになる。

「どうしよう。どこかかくれる場所……」

おろおろとあたりを見まわしたが、そんな場所があるはずはなかった。月子の家をさがしてやってきたほどなのだ。どこにかくれても、簡単にみつけられてしまうだろう。

百菓はがっくりと床にひざをつき、しゃがみこんだ。

「どうしよう。どうしたらいいの?」

そのとき、百菓はふと、ジャック・オー・ランタンがずっと言いつづけていた言葉を思いだした。

トリック・オア・トリート。

お菓子をくれなきゃ、イタズラしちゃうぞ。

「そうだ!!」

ジャック・オー・ランタンは、お菓子をほしがるように、手のひらを前に差しだす仕草もしていた。

「お菓子をあげれば、きっと許してくれる!!」

百菓はあわてて立ちあがり、戸棚のひきだしを開けた。マフィンをしまっておいたところとは別の、いつもお菓子をストックしておくひきだしだ。

(パーティーに持っていけるようなかわいいお菓子はなかったけど、なにかあったはず!)

期待に目を輝かせてのぞきこんだが、ひきだしはからっぽ。

「うそ……アメひとつないなんて……」

しかし、百菓はあきらめなかった。

「そうだ、おせんべいがあった!」

個包装されていないおせんべいが、リビングのテーブルの上においてあったはず。

甘くはないが、おせんべいだってお菓子だ。ジャック・オー・ランタンは許してくれるかもしれない。

百菓はリビングに飛びこんでいったが、テーブルの上にあったおせんべいの袋は、かげも形も見あたらない。

「うそ！　家をでるときにはあったのに！」

いらだって叫び、サイドボードやテレビ台のひきだしまでさがしてみた。

「ない……ないよ……」

半泣き状態で、ダイニングキッチンに戻り冷凍庫を開ける。

「アイスでもなんでもいいから」

アイスもない。

冷蔵庫を開けて、なかにあるものを手にとっていく。

けれど、そこにもお菓子はなかった。

「一昨日買ったゼリー、残しとけばよかった……」

家族で買い物に行ったときに、三個パックのゼリーを買ったのだが、タカヤととりあいながらその日のうちにすっかり食べてしまった。

本当に、家のなかにはお菓子がひとつもなかった。だからタカヤたちは、わざわざ車にのってレストランまで行ったのだ。

「どうしよう」

冷蔵庫のドアを閉めようとした百菓は、はっと気づいて手をとめる。

牛乳パックが目に飛びこんできた。

卵もある。

百菓は、なにかをにらみすえるような顔をして、つぶやいた。

「まだあきらめない……」

そして、牛乳パックと卵をつかんでとりだすと、キッチンカウンターの上においた。鍋とボウル、泡だて器も用意する。

「あとは寒天と、お砂糖！」

材料を次々と用意し、仮装用の長い手袋をはずして、ガスレンジの前に立つ。

百菓の特技はお菓子作り。

なにもないなら、自分で作ってしまえばいい。

「粉寒天二グラム、卵二個、牛乳四百ＣＣ………」

ぶつぶつつぶやきながら、ボウルに卵を割って入れ、泡だて器でまぜる。

そして鍋に粉寒天と牛乳、砂糖を入れて熱しはじめた。

（早く作らなくちゃ………早く………）

しかし、ここであせると寒天がかたまらなくなってしまう。百菓は深呼吸をしながら、ゆっくりと鍋をかきまぜた。

寒天がとけきったところで火をとめて、鍋の中身をボウルに加えていく。

「それから、えっと、耐熱グラス………」

百菓は食器棚からグラスを四つとりだした。それをトレーにのせ、キッチンカウンターまで運ぶ。

（早く、早く、あれが来る前に………）

こんなことをしている間にも、ジャック・オー・ランタンはこの家をつきとめて、襲ってくるかもしれない。

あのおそろしいカボチャ頭の姿が脳裏をよぎり、百菓の手が震えた。

しかもあせっているせいで、うっかりトレーごと耐熱グラスを落としてしまう。

「あっ！」

落ちてきたトレーにあたったボウルがかたむき、なかの液体がこぼれだした。

百菓はとっさに手をのばしてボウルをつかむが――なんと、せっかく作った液体は、ほとんど床に流れてしまった。

「ひとり分しか残ってない…………」

けれど、がっかりしている時間はない。

「少なくてもいい。早く作らなくちゃ」

気をとりなおして、液体をグラスに注ぐ。

それを、氷を入れたボウルに入れ、冷蔵庫で冷やす。

「あとはかたまるまで待てば――」

寒天プリンができあがる。

いつもはカラメルソースも作るが、いまはそんな時間はない。それでも甘くて立派なお菓子ができあがるはずだ。

おいしいの
おいしいの
牛乳
MILK MILK

百菓はキッチンタイマーをセットした。

(お願い……………かたまるまで来ないで…………)

そのときだった。

ガタッ、とリビングの掃きだし窓のほうから音がして、百菓は身をすくめる。

振りかえると、窓の外に人影。

閉まりきっていないカーテンのすきまから見えたのは――――慎の姿だった。

「秋田くん！」

百菓は表情をゆるませて走りだし、鍵の締まっていた窓をガラッと開ける。

「秋田くん！　大丈夫？　なんでここに？」

どれだけ走ったのだろう、慎の靴下はぼろぼろになっていた。

部屋に入ってもらい、窓をしっかり閉める。

慎は百菓の腕をつかむと、まっすぐに彼女をみつめた。

「西藤が心配で…………無事でよかった…………」

慎の手が震えている。

「西藤は俺が守るから」

「うん……」

ふたりは体を寄せあい、しっかりと抱きあった。

こうしていると、恐怖もいくらか軽くなるような気さえする。

だが、そのひとときの平穏をぶち壊すように、玄関のチャイムが鳴る。

ピンポーン。

ふたりは同時に体をはなし、玄関のほうに顔をむけた。

「うそ……来たの……?」

しかし、もしいまのチャイムがジャック・オー・ランタンの鳴らしたものだとしても、さっき冷蔵庫に入れたプリンがある。かたまるまで、あと少しだ。

キッチンタイマーが時間を刻む音が、ダイニングキッチンにひびいている。

(でも、どうしよう。ひとり分しかない)

プリン液をこぼしてしまったせいで、ひとり分しか作れなかった。

(もしお菓子をあげた人だけが助かるなら——ひとりひとつずつお菓子をあげなきゃ

いけないの？　だとしたら、秋田くんの分が……）

玄関のチャイムは一度鳴ったきり、二度目が鳴らない。

不気味なほどに静かだ。

と、そのときだった。

ガタン！　と掃きだし窓をたたく音。

ふたりはビクッと身を震わせ振りむく。

そこには、血まみれのカボチャ頭をのせたジャック・オー・ランタンが立っていた。

べったりと窓にはりつくようにして、部屋のなかを見ている。

「トリック・オア・トリート」

彼は、カボチャマスクごしのくぐもった声で、ゆっくりとくりかえす。

「トリック・オア・トリート」

百菓と慎は凍りついた。サッシの鍵はかけたが、窓ガラスなどすぐに割られてしまうだろう。部屋に入ってくるのは時間の問題だ。

青ざめた慎が、小さな声で言った。

「お、お菓子をくれなきゃ、イタズラしちゃうぞ………ってさ」

震える指をジャック・オー・ランタンにむけ、顔をひきつらせながら百菓を見る。

「お菓子をあげればあいつ、もしかして許してくれんのかな………」

次の瞬間、ピピピッとキッチンタイマーが鳴った。

その音を聞くやいなや、慎は百菓のそばをはなれ、キッチンにむかっていく。

「秋田くん？」

戸惑う百菓に、慎はこたえた。

「西藤、なにか作ってたんだろ？　あそこに材料がある」

「………え？」

百菓はうろたえて、キッチンカウンターに目をむけた。牛乳パックやボウル、床にこぼれたプリン液などが、片づけられずにそのまま放置してある。

慎が冷蔵庫を開け、耐熱グラスに入ったプリンを手にとった。

「これ、プリン………かな？」

「う、うん」

「これ、俺の分だよね？　俺があいつにあげていいんだよな？　約束したもんな。作ってくれるって………」

慎は、ゆがんだ笑みをうかべている。

そんな邪悪な顔をする彼を、百菓は初めて見た。

「ちがう………それは、私の………」

あわててかけ寄り慎の手をつかみ、プリンを奪いかえそうとする。

しかし、慎は鬼のような形相で抵抗し、百菓をつきとばそうとした。力では、男子の慎にかなうはずがない。

とっさに百菓は、そばにおいてあった耐熱皿をつかんだ。厚く重さのある皿だ。

(なにこれ………私、なにやってるの!?)

自分のやっていること、やろうとしていることが、信じられなかった。

けれど、百菓の手はとまらない。

死ぬのはいやだ。プリンをとりかえさないと殺される――――そう思うととまらなかった。

百菓は、耐熱皿で思いきり慎の頭をなぐりつけた。
慎がドサッと床に倒れ、その手からプリンの入ったグラスが落ちる。
（どうしてこんなことに……なんで……）
あわててかがみ、慎をのぞきこむ。
慎はぴくりとも動かず、頭からどくどくと流れる血が、床にひろがっていった。
そのとき、背後で気配がして振りかえる。
ジャック・オー・ランタンが、すぐうしろに立っていた。
百菓はプリンの入ったグラスをひろい、彼に見せるようにして、両手でかかげる。
「これでしょ？　ほら、甘くておいしいお菓子！」
彼は、傷の走る三角形の目で百菓を見おろした。
しかし、なにが不満なのか、彼はグラスをとろうとしない。
百菓はおそるおそる、自分が持っていたグラスに視線を落とす。
そのなかのプリンは、すでに半分も入っていない。
さっき慎が落としたときに、ほとんど中身をぶちまけてしまったのだ。

「あ……あの……」

言い訳をするように話しかけるが、ジャック・オー・ランタンはなにも言わない。

ただだまって、一歩、また一歩と百菓に近づいてきた。

ガタガタと震えながらあとずさりする百菓の目から、涙がこぼれる。

「秋田く……秋田くん……」

助けてほしくて名前を呼ぶが、慎はすでに息絶えていた。

カボチャ頭は、どんどん迫ってくる。

動くはずのないギザギザの口が、グアッ、と開いた気がして——。

「あ」

短い悲鳴をあげた直後、百菓の頭は、ギザギザの口のなかにのみこまれた。

エピローグ

百二十七時間目の授業を終わります。

待ちに待ったハロウィンナイト。

恋人同士で仮装姿を披露しあったり。

友だちみんなとお菓子交換をしたり。

そんな楽しいパーティーになるはずだったのですが…………。

少女のほんのささいな行動のせいで、血染めの夜になってしまいました。

お菓子作りが得意な彼女でしたが、大好きな彼に手作りのお菓子を食べてもらうことはもうありません。

みなさんも、どんなに甘くておいしそうなお菓子があっても、盗んではいけません。

それが魔物のものなら、なおさらです。

魔物は、かわりのお菓子をもらおうと、追いかけてきます。

仮装する子どもたちのなかにまぎれて、どこまでも。

みなさんも、ハロウィンパーティーに参加するときは、じゅうぶんに気をつけてください。

あなたのとなりにいる人が、じつは〝本物〟かもしれませんよ。

128時間目

生贄の郷 前編

こんにちは。
みなさん、席についてください。
さあ、百二十八時間目の授業をはじめましょう。
こわい話が大好きなみなさんのために、今回も身の毛がよだつ話を用意しました。
あの兄妹の物語です。
なにかと怪現象に巻きこまれてしまう、妹のハルヒ。
オカルト好きで、ピンチのときにはたよりになる、兄のチハル。
ふたりは、お盆に訪れた田舎の村で、ふしぎな体験をします。
奇妙な人影、金縛りの夜、そして八十年以上前の写真………。
親せきの集まる古民家で、事件は次々とまきおこります。

ハルヒとチハルは、事件を解決できるのでしょうか。
家族そろって無事に帰ることができるのでしょうか。
それとも………。
それでは、ふたりといっしょに、恐怖の時間をすごしてみてください。

ミーン、ミン、ミン、ミン――――……。


ハルヒたちがバスを降りると、セミの鳴き声がうるさいくらいに聞こえてきた。

空を見あげれば、もくもくとひろがる入道雲。

夏休みのある日、緑川一家は四年ぶりに田舎に帰ってきた。

「東京から新幹線で三時間。そこから電車で一時間。さらにバスで四十分、か」

「遠いわよねぇ」

そう言いながら、父親と母親はのびをして体をほぐしている。

「新幹線、楽しかった～。アイスおいしかったし」

疲れ気味の両親のとなりで、小学校六年生の緑川ハルヒは元気いっぱいだ。

フロントにロゴの入ったTシャツとデニムのショートパンツを着て、いつもおろしているボブヘアは、暑さしのぎに耳の下あたりで小さな三つ編みにむすんでいる。

「このあたりの風景は、四年前とぜんぜん変わってないね」

と、兄のチハルがスーツケースをひいて歩きだした。

チハルはハルヒの五つ年上で、勉強もスポーツもこなす、ちょっとマイペースな高校二年生。

田んぼや畑のひろがる風景のなかを少し行くと、母方の親せきの家、緑川家が見えてきた。広い庭のある、大きな古民家だ。

ハルヒたちが到着すると、Tシャツにエプロン姿の祖母が、四人をでむかえる。

「チハルくん、ハルヒちゃん。よぐ来たこと〜」

「ばーちゃん、ひさしぶり」

ハルヒが手を振り、チハルは軽く会釈した。

「おひさしぶり、おばあちゃん」

ここは母親の実家なので、父親は「おひさしぶりです」と、ふだんより少しかしこまって頭をさげる。

逆に、母親は気楽そうだ。用意してきた菓子折りを祖母に渡す。

「母さん、東京みやげよ」

「まあまあ、ありがとうね。親せき一同集まってるがら、チハルくん、ハルヒちゃん、ふたりともまずご先祖さまにお線香あげてけ」

「はーい」

おじゃましまーす、と家にあがると、広間の大きな座卓のまわりでは、もう親せきたちが集まり、くつろいでいる。

「おー、チハルくん、ひさしぶりだねえ」

「ハルヒちゃんもすっかりお姉さんになって」

次々とそんな声をかけられて会釈しながら、ハルヒとチハルはろうかを歩いていく。

奥の仏間は、広間とはうって変わり、静かな雰囲気だ。

そよ風が吹くと、縁側の風鈴がチリンと鳴った。中庭が見え、池に蓮の花が咲いている。

ふたりは仏壇の前に正座し、線香を立て、手を合わせる。

(変わんないな。この空気)

四年前に来たときも、それよりずっと前に来たときも、今日と同じように静かだった。

まるで時間がとまっているみたいだ。

と、そのとき、ハルヒの背後から、ただならぬ気配がただよってくる。

「わっ！」

振りかえったハルヒは、おどろいて思わず声をあげた。

「あ……大ばぁちゃん」

着物を着た曽祖母、つまりひいおばあさんが、音もなく立っていたのだ。

大ばぁちゃんは九十歳を超える高齢だが、常に背筋をしゃっきりのばし、髪もこざっぱりとまとめている。

いつでも上品な和服姿で、隙のないたたずまいだった。

「…………」

大ばぁちゃんは無言のまま、ハルヒたちを見おろした。

ハルヒとチハルは立ちあがり、笑顔であいさつをする。

「ひさしぶり」

「元気そうだね」

「ん」

大ばぁちゃんは小さく返事をし、スタスタと歩き去ってしまった。あまりにそっけない対応で、ハルヒたちは苦笑いをする。

そこへ、大叔父がなにやら書類を持ってやってきた。

「おがぁちゃん、村祭りの費用だども、これでいがったが？」

表の書かれた書類を差しだすが、大ばぁちゃんは見ようともしない。

「おめ、何歳さなった。大の大人が計算もできねぇだか」

大叔父はきびしく叱られてしまい、おろおろと言い訳をはじめた。

「し、したって〜」

この家の当主の大ばぁちゃんには、こわくて誰もさからえない。

今日は特別に機嫌が悪いというわけではなく、いつでもこんな調子なのだった。

遠くで見ていたハルヒは、頬をひきつらせてつぶやいた。

「こわ…………」

ぬぅぅん
わっ
あ… 大ばぁちゃん
…
久しぶり
元気そうだね
ん
スタ
スタ

「ははは。相変わらずだな」

チハルはのんきに笑っている。

ちょうどそのときだった。

ハルヒはなにかの気配を感じ、きょろきょろとあたりを見まわす。

（ん？　誰か来た？）

中庭のほうをむくと、あおあおと茂る植えこみのむこうに、黒いボールのようなものが見える。

（頭……………？）

頭だった。てっぺんのあたりだけ植えこみからでている。

そこから下は草にかくれていて見えないが、こちらに体の正面をむけて、じっと立っているような気がした。

（近所の子かな）

それほど背は高くないので、どうやら子どもらしい。黒い髪がそよ風にゆれていた。

（こっち見てる？）

もっとよく見ようと目を細めたとき、チハルに声をかけられた。

「ハルヒ、行くよ」

「あ、うん」

ハルヒが立ち去るときにもまだ、頭はそこに見えていた。


その夜の夕食は、広間に親せき一同が集まって、まるで宴会のようだった。

座卓の上には、揚げ物がたくさん盛られたオードブルや、とれたて野菜のサラダ、いなりずしなどおいしそうな料理がずらりとならぶ。

大人たちはお酒ものみ、わいわいとにぎやかだった。

「十六日に村祭りがあるから、おめたち、浴衣着ていけ。だすがら」

祖父がそう言うと、ハルヒのいとこ、緑川明日葉が口をとがらせる。

「えー。めんどくせな……」

ロングヘアをふたつにむすんだ明日葉は、小皿に料理をとりわけ、妹の知紗の前におく。

「でけ花火ある～？　ドーンてやつ」

と知紗は両手をぱっとひろげる。姉妹は、明日葉が小学五年生、知紗が四歳だ。

「あー。村の祭りでは、まだ打ちあげだことねな。おがぁちゃん」

「ねな」

明日葉の両親がそんなことを話す横で、だまってもくもくと食事をしている少年は、小学校五年生の村上恭。横浜から来たいとこだ。

恭はシャツのボタンを一番上まできっちりとめ、無口で不愛想だった。

(いとこのみんなもそろってる。すごいひさしぶりだ~)

ハルヒが三人のことをながめていると、ふいに明日葉と目が合った。

「……なに見てんなや」

明日葉は、じろりとハルヒをにらむと、バカにしたように笑う。

「ぜんぜん箸すすんでねーねが、都会人だば、田舎の食べ物は口に合わねってが」

ハルヒはひきつった笑みを浮かべる。

「そ、そんなことないよ?」

(そうだ、こんな子だった………)

前に会ったときも、似たような嫌みを言われたが、すっかり忘れていた。生まれてからずっとこの村にいる明日葉は、東京に住んでいるハルヒたちや、横浜に住んでいる恭のことを目のかたきにしている。

なにかというと、「都会の子は」「都会人は」とバカにするのだ。

「どーせおめたち都会人だば、ホットケーキしか食べねもんな？」

きゃははと笑う明日葉の横で、知紗が目をまるくする。

「明日葉姉、本当だが？　ホットケーキしか食べなが？」

「んふふ〜」

自信満々でうなずく明日葉に、恭がぼそっと言った。

「つーか、パンケーキだろ？」

恭は食事に飽きたのか、つまらなそうにスマートフォンをいじっている。

「なっ………なんだおめ！」

「いまどきホットケーキとは言わない」

「知ってるし！　ワザとだし！」

恭はケンカの相手をするつもりがないらしい。それきりだまってしまった。

「バカにしてんのか、おめっ！」

ぷりぷり怒っている明日葉。完全に無視している恭。

ぜんぜん和気あいあいとしていない。

（な、仲悪いなぁ〜!!）

しかも知紗は、ホットケーキとパンケーキのちがいがわからなくて混乱中だ。

（チハル兄、助けて！）

ハルヒは、大人たちにまじって話をしているチハルに視線を送った。

その視線に気づいたチハルが振りむき、近づいてきた。

「どうしたの？　ケンカかな？　そんなことよりさ、せっかくひさしぶりに会ったんだし
――」

と、さわやかな笑みを浮かべる。

「ここは親睦を深めるために、みんなで百物語でもしようか」

「は!?」

バカにしてんのやー
おめっ
仲悪いなぁ〜!!
し〜ん
チハル兄助けて
チハル背のびたな〜
きみ達
せっかくの夏休みなのに
ケンカしてたらつまらないよ

明日葉と恭が顔をしかめ、小さな知紗はわけがわからずきょとんとする。

ハルヒは、しまったと思い、青ざめた。

そう、兄のチハルは、大のオカルトマニア。

くせのないさらりとした髪に、やさしげな目もと、やわらかい声――パッと見はイケメンのチハルだが、じつはかなりの変わり者なのだった。

「夜どおしずーっとみんなで語りあうんだよ。きっと楽しいよ」

チハルはにこにこ笑い、そばにおいてあったトートバッグのなかをまさぐる。

「じつは道具を持ってきてるんだ」

手にしているのは、百物語をするときに使うろうそくだ。

「ほら、どうかな……あれ？」

チハルが顔をあげたが、そこに残っているのはハルヒだけ。明日葉たちは、あきれて別の席に移動してしまった。

「残念だな。楽しいのに……」

（うちの兄が一番ヤバかった！）

ハルヒは冷や汗をたらりと流し、ふと障子戸のほうへ視線をむけた。

障子戸は、ちょうど腰から下あたりの部分がガラス張りで、ろうかの様子が見えるつくりになっている。

(あれ………?)

ろうかに、濃い紺色のスカートをはいた人影が立っているのが見えた。

(誰?)

腰から上は、障子紙にかくされているが、背格好からして、ハルヒと同じ年齢ほどの子どもに思える。

(あんなところにつったって)

ハルヒは広間を見まわした。誰もろうかにいる少女に気づいていない。

叔母が料理をのせたお盆を持って「まだあるわよー」と広間に入ってくる。

祖父と叔父がおたがいのグラスにビールをつぎあっている。

みんな思いおもいに会話し、食事をして、楽しそうに笑っていた。

(………あれ? みんなここにいる)

今日この家に来ていた全員が、広間に集まっていた。
だとしたら、ろうかにいる少女は誰だろう？
（………ちょっと待ってよ。いやな予感しかしないんだけど）
ハルヒはまたろうかのほうを、ちらっと横目で見てみた。
少女の手がぱたぱたと動いた。
手招きをしているのだ。
まるでハルヒにむかって「こっちに来て」と言うかのように。
（やばい。やばい！）
ハルヒは大あわてで顔をそむけた。
（もしかして、昼間のも………？）
あの頭も、この少女だったのだろうか。
（なにも見てない。知らん………）
広間にいるほかのみんなには、少女の姿は見えていないようだ。
だったらハルヒも見なかったことにしたい。

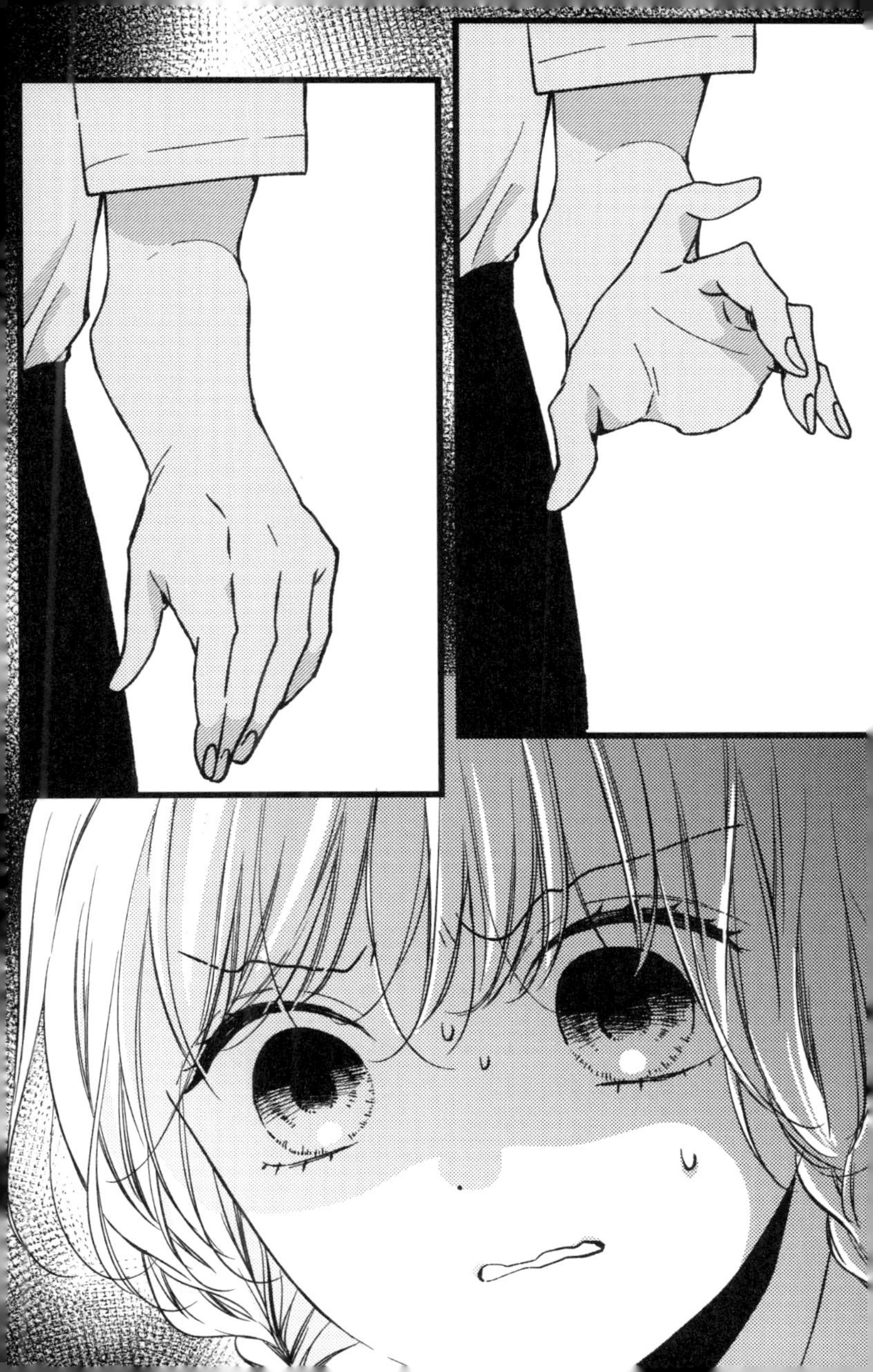

(知らーーん!!!)

むりやりにでも、そう思いこみたかった。

にぎやかな食事を終え、時間は夜の九時をすぎた。

「遅くならないうちに寝なさーい」

母親にそうせかされ、ハルヒは部屋着のTシャツに着がえて、子どもたちの寝室になっている和室に入っていく。

和室には恭と明日葉、チハルがいたが、三人ともだまって、それぞれ別のことをしていた。

明日葉は押し入れからタオルケットをだしていた。きっと両親か誰かに手伝うように言われたのだろう。

「私も手伝おうか?」

「いい」

明日葉は仕事の手をとめずに、ぶっきらぼうにこたえた。

部屋のなかを見ると、恭はスマートフォンをいじり、チハルは読書をしている。

（わー。おしゃべりすらしてないしっ）

ハルヒは畳の上にがっくりと座りこむ。

「はぁ。疲れた」

見たくもない少女の姿を見たせいで、どっと疲れがでてしまった。

（なんで私ばっか、あんなの見るの。霊感なんてあるワケないのにっ）

ハルヒは植えこみのむこうに見えていた頭のことを思いだし、中庭に面した障子戸を、思いっきりピシャッと閉めた。

背後でとげとげしい気配がして振りむくと、明日葉がたたんだ洗たく物を持って立っている。

明日葉は、乱暴に障子戸を閉めたハルヒを、けげんそうににらんだ。

（どうしよう。変なものを見たことなんて言えないし………）

「あ、えっと、なんか障子が開いてるの、いやだよねっ」

作り笑顔でそう言うと、明日葉は返事もせずに奥の和室にひっこんでしまった。

その直後、むすっとした顔の恭が立ちあがり、つまらなそうに和室からでていく。

ピシャンと障子戸の閉まる音が、むなしくひびいた。

「………親せきなのに、ちょっとさびしいな」

せっかくひさしぶりに顔を合わせたのだから、学校で流行っていることとか、好きなことか、楽しく話をしてもよさそうなものを………そういう気はまるでないらしい。

ぼんやりしているハルヒに、チハルが声をかける。

「どうした？」

オカルト好きのチハルは『実録　田舎にまつわるこわい話』というタイトルの本を手に持っている。

表紙は、血が飛びちっているようなデザイン。表紙からして、おどろおどろしい。

（チハル兄に、あの女の子のことを言ってみようかな………）

でも兄に言えば、いつものように資料を集めてくわしく調べだし、おおごとになってしまうにちがいない。

（言ってもチハル兄がよろこぶだけだ）
ハルヒはサッと目をそらしてこたえた。
「いや、別に」
縁側においた蚊取り線香の香りが、障子戸ごしにただよってくる。
変なことがこれ以上起きませんようにと願いながら、その夜、ハルヒは眠りについた。
ところが。

ろうかの大きく古い床置き時計が、カチコチとときを刻んでいる。
ちょうど深夜の二時。

（…………………）
ハルヒは体に異変を感じ、眠りからさめた。
暗闇のなかで、ゆっくりとまぶたを開く。
（なに…………？　息が苦しい）
奇妙なことに、体がまったく動かなかった。

（え!?　なにこれ!?）
手足がこわばって動かせず、声もだせない。金縛りだ。
（動けない。苦しい…………）
次の瞬間、ハルヒの体の上で、もぞもぞとなにかが動いた。
顔の上に、糸のようなものがばらりと落ちてくる。
いや、糸ではない。長い髪の毛だ。
目をこらすと、ハルヒの目の前に少女の顔があった。体の上に少女がのっている。
（…………!?）
歳はハルヒと同じくらいだろうか。
大きな瞳は塗りつぶしたように真っ黒く、どこを見ているのかわからない。
顔や白いブラウスは土で汚れ、唇はカサカサに乾いている。
ハルヒがただただおびえていると、少女はひびわれた唇を開き、ささやいた。
「×××て…………」
声は小さくかすれていて、ハルヒには「て」しか聞きとれない。

へ…

「×××て…………」

…………――――。

「ハルヒ!!」

チハルの叫ぶ声で、ハルヒは目を覚ました。

外が明るい。どうやら朝のようだった。

ふとんのまわりに、チハルと両親、叔母がいて、心配そうにハルヒをのぞきこんでいる。

「ずいぶん長い時間うなされてたから、みんな心配したんだよ」

「熱でもでたかと思って」

ハルヒの心臓はドクンドクンと激しく打ち、体じゅうに汗をびっしょりかいていた。

しかも、とても息苦しい。空気のないところに押しこめられていたかのようだ。

「あ…………」

ハルヒはヒューとのどを鳴らして起きあがり、ゲホゲホと咳きこんだ。

(――――夢?)

でも、顔にかかった髪の感触や、少女のかすれた声は、本当に生々しかった。

(あんなリアルなのが？)

両手を見ると、なぜか土まみれだ。シーツの上には、木の葉や砂利も落ちている。

ここまでくると、もう見なかったことにはできなかった。


ハルヒは心配していた両親と親せきたちに「こわい夢を見ただけ」と伝え、そのあとはいつもどおりに振るまった。

気分をアゲるために、お気に入りのノースリーブのチュニックとショートパンツを着て、チハルには包みかくさず話すことにした。

そうすれば、いくらか心がおちつきそうだ。

「女の子の霊？」

戸を開けはなった縁側でスイカを食べながら、ふたりは話す。

「うん。じつは昨日、何回か見て」

少女の姿を、中庭とろうかで見た。顔はわからなかったが、おそらく同じ少女だ。

「夢にもその子がでてきたの。なにか言ってた……………」

そのとき、ハルヒとチハルのうしろから「ぷっ」と噴きだす声が聞こえ、ふたりは振りかえる。

明日葉と、絵本を持った知紗が、ちょうど縁側を通りかかったところだった。

「きゃはははっ。真剣になに話してるのがと思ったら、バカでねぇかー?」

「明日葉ちゃん………」

「オバケなんているワケねーべ」

「えー、でもこれもオバケだべー?」

と、知紗が絵本を高くかかげる。表紙にかわいいオバケのイラストが描かれていた。

「それば絵本だべ。現実の話してんだ」

明日葉は腕を組み、大いばりで笑う。

「てゆうか、兄妹そろってオバケ信じでるどが、いでぇな。都会モンはみんなそうなのが?」

「あのさ………」

カチンときたハルヒが言いかえそうとすると、明日葉はくるっと和室のほうをむき、恭に声をかける。

恭は壁に寄りかかって座り、タブレットとにらめっこしていた。ゲームでもしているのだろうか。

「横浜！　おめもどーせ、いでぇヤツだべ？　スマホしかいじってねぇもんな？」

「いっしょにすんな。僕はちがう」

恭は画面を見たまま、ぼそぼそとこたえた。

「つーか、スマホじゃないし。タブレットだし」

「はぁ!?　そんなモン知ってる～!!」

恭が無視するので、明日葉はますます怒る。

「バカにしてんだが!?」

我慢できなくなったハルヒが怒鳴った。

「…………うるっっさいっ！」

せっかく顔を合わせたのに、ふたりはイヤミを言ったり無視したり。

しかも、幽霊のような少女まで見てしまって、ハルヒの気分は最悪だった。

この家に来てから、いいことがひとつもない。

「気にくわないなら別にそれでいいよ。親せきだからって仲良くしなきゃいけないワケじゃないし！」

「ハルヒ」

チハルがとめようとするが、ハルヒは怒鳴りつづけた。

「私だって、好きでここに来たんじゃないし！」

あまりの剣幕に、みんなは一瞬、しんとなった。

ハルヒとにらみあっていた明日葉が口を開く。

「したら東京さ帰れ」

「…………帰るよ」

そうはきすてると、ハルヒは荷物のある和室にドカドカと入っていった。

（帰ってやる。いやな子ばっかだし。幽霊もいるし。こんなところ、さっさと………）

心のなかでそうくりかえしながら、座りこんで荷物をまとめる。

あとを追ってきたチハルが、静かに声をかけた。

「ハルヒ」

ハルヒは背をむけたまま、こたえず、スーツケースに荷物をつめる。

「あのさ、その女の子、友だちになれそうだったか？　俺でも話せるかな」

（はぁ!?）

兄ののんきさに、ハルヒはイラッとした。

「ふざけてんの？」

「大まじめだよ、俺は。その子がハルヒの前に現れたのには、なにか理由があるはずだ。もう少しここに残ってつきとめないか？」

「…………」

そう言われると、どうして現れたのか知りたくなってくる。

うまく聞きとれなかったが、夢のなかで、あの少女はなにかを訴えていたのだ。

「本当は気になってるんだろ」

ハルヒはしゅんとして振りかえり、チハルを見あげた。

兄はおだやかに微笑み、「な?」と言うように軽くうなずいた。

「…………わかったよ。帰るのはやめる」

「じゃあ、村役場に行ってみないか?」

「村役場?」

●

その日の午後。

ハルヒとチハルは、緑川家から歩いて行ける距離にある、緑生村の役場にでかけていった。

「もし地縛霊みたいなものだとしたら、その女の子は、この村に住んでたんじゃないかと思うんだ」

と、チハルが役場に併設された〝緑生村資料館〟のドアを開ける。

「だとしたら、村の写真のどこかに写ってるかもしれないだろ?」

それほど大きくない資料館だが、昔この村で使っていた農具や、出土した土器、古文書、冊子などが所せましとならんでいる。

写真も、壁に展示してあるものから、冊子に綴じられているものまで大量にあった。

「これ全部さがすの!?」

ハルヒは、思わず大声をあげる。

「このくらいの量、たいしたことないさ」

「チハル兄は、こういうの慣れてるかもしれないけどさ…………」

ハルヒはどちらかというと、体を動かしてなにかをさがすほうが得意だ。

「ま、まあ、私もがんばるけど」

写真をさがして一時間がたち、二時間がたち――――。

窓の外から、セミが騒がしく鳴く声が聞こえてくる。

ハルヒは机の前に座り、げっそりしながら、これで何冊目かの『緑生村の歴史』という冊子を開いていた。

「つらい。本当にみつかるの？」

と、そのときだった。

「これ、これだっ！」

ハルヒが思わず声をあげると、書棚の前に立ち資料を読んでいたチハルがやってくる。

「あの女の子だ」

ハルヒは、開いたページに貼られている、セピア色に変色した写真を指さした。

学校の校舎らしき木造の建物の前で、大人と子どもの合わせて九人が、前後二列にならんで写っている。

老婆やちょうどハルヒの両親と同じくらいの年齢に見える男女、若い女性たちは、全員むっつりと無表情だ。

なかには小さな子どももいて、手に粗末な布人形を持っていた。

「この、前の列の真ん中に座ってる女の子だよ」

長い髪。大きな瞳。

変色したモノクロ写真なので色はわからないが、ブラウスと濃い色のスカートを着ている。

あの女の子だ
村人の集合写真
何の写真なんだろ
全然読めないよ
コレ
村人の集合写真
写真の裏
どれ…
昭和13年8月16日
緑生村の娘 暮知雛子
…生…日である
母 友人と並んで写る
——享年13歳
緑生村の歴史

まちがいない。夢にでてきたあの少女だ。

写真の下には「村人の集合写真」と添え書きがある。

その集合写真は、裏面に写真の説明が書いてあったようで、裏面の画像もいっしょにのっていた。

ハルヒはその画像の文字を読もうとしたが、字がくずしてあるうえに、ひどくかすれていて、読むことができない。

「なんて書いてあるんだろ。ぜんぜん読めないよ、これ」

「どれ……」

チハルが冊子を手にとり、すらすらと読みはじめた。

「〝昭和十三年八月十六日。緑生村の娘、暮知雛子……生……〟？」

そこまで読むとチハルは「うーん、ここだけわからないな」と首をひねり、つづきを読みはじめる。

「えっと、〝日である。家族、友人らとならんで写る――享年十三歳〟だって」

「え!?　なんでこんなうねうねした字が読めるの？」

チハルはにこっと笑った。

「古文書ばっか読んでたら、いつの間にかね」

「あ、そうなんだ……さすがオカルトオタク」

ハルヒは、明日葉に「イタイ」と言われたり、恭に「いっしょにすんな」と言われたりしたことを思いだし、思わず顔をひきつらせた。

(まあ、あの子たちが言ったこと、半分あたってるよね)

幽霊を見たなんて言っているハルヒと、オカルトオタクのチハル。明日葉たちに変わり者と思われてもしかたがない。

そう思うと、あんなふうに怒鳴ったことを後悔した。

「………言いすぎたよね、私」

ハルヒはぽつりとつぶやいた。

(帰ったらあやまろう………)

するとそのとき、資料館の職員がのんびりとやってきた。

「そろそろ閉めるが〜」

閉館時間だった。ずいぶんと長く居座ってしまった。

「あっ、すみません。帰る前に、この写真をスマホで撮影していってもいいですか？」

「うん、かまわねよ」

職員の許可をもらったチハルは、集合写真をスマートフォンで撮った。

「それから、質問もあるんです」

と、読めなかった三行目の「生×日である」の部分を指ししめす。

「この写真、かなり損傷が激しくて読めないんですけど」

職員は「あら、え～と」と写真をのぞきこみ、こたえた。

「ああ、この年だば――――たしか、雨不足で凶作だったらしやなや。餓死者もでたみてだで～、子どももいだみでだな」

その話を聞いたハルヒは、はっとした。

（子ども………）

あの少女のことにちがいない。

（じゃあ、あの子はそのときの………）

きっと、雨不足のせいで作物が実らず、食べ物がなくて亡くなってしまったのだ。

「犠牲者のお墓ってどこか知ってますか？」

資料館の職員は、ここから歩いて二十分ほどの場所に小さな墓地があると、こころよく教えてくれた。

「チハル兄、お墓参りに行こう」

「そうだな」

ふたりは職員にお礼を言い、資料館をでた。


墓地に到着するころには、日が西にしずみはじめていた。

ふたりは果物や野菜を墓にそなえ、墓石に水をかける。

「これでおなかいっぱいになるかな」

果物と野菜は、ここに来る道すがら、無人販売所で買ったものだ。見るからに新鮮でおいしそうなものばかりだった。

（あの女の子、「助けて」って言ってたのかもしれない……）

夢のなかで、少女はなにかを言っていたが、声が小さくて「て」しか聞こえなかった。

でも、きっと「助けて」と言ったはず。ハルヒにはそう思えた。

（これで成仏できますように――……）

ふたりは墓の前で手を合わせる。

「あの世でたくさん食べてくれるといいね、チハル兄？」

チハルはなにか考えごとをしているのか、返事をしない。

「じゃあ、そろそろ帰ろっか。あの家に」

「ずいぶん遅くなっちゃったからな」

あたりはすっかり暗くなり、空にはたくさんの星がまたたいている。

「これでもう、こわい思いはしなくてすむよね！」

ハルヒは足取りも軽く、親せきたちの集まる緑川家へ帰っていった。

「東京とはちがって、このあたりは街灯が少ないね」

見渡すかぎりひろがる田んぼや畑に、鈴虫やコオロギの鳴き声がひびいている。

「田んぼに落ちないように気をつけろよ、ハルヒ」

「落ちないってば………もう」

あぜ道は暗く、あまり道のはしを歩いていると、チハルが言うように、足を踏みはずして田んぼに落ちてしまいそうだった。

やがて田んぼのむこうに、ぽつんと建つ古民家、緑川家が見えてきた。

目をこらすと、なにやら敷地の外に人がいて、こちらにむかって叫んでいる。

「ふたりとも帰ってきた！」

「おーい！」

母親たちの声だ。

明日葉とケンカをして「東京に帰る」と捨てぜりふをはいてでてきたから、心配してさがしていたのだろう。

「みんな………」

ハルヒは、心配をかけて申し訳ないような、でもさがしてもらえてうれしいような、複雑な気持ちになった。

とにかく母親はそうとう怒っているようだ。遠くからでもわかった。

「ふたりともなにも言わないで！　もーっ！」

「やば、ママ超怒ってる！」

「資料館に行くって言ってからでてくればよかったな」

激怒する母親を見て、ハルヒはあせったが、チハルは相変わらずマイペースだ。

「まあ、説明すれば許してもらえるさ」

家の前には、大人たちにまじり、小さな知紗もいた。

「ハルヒちゃーん」

暗闇のなか、知紗はハルヒのほうへ夢中でかけてくる。

「知紗ちゃん」

（え？　大丈夫？　サンダルであんなに走って、転ばない？）

次の瞬間、心配したとおりのことが起きた。ハルヒのところへたどり着く直前、知紗は足を滑らせて転びそうになったのだ。

「あぶな……」

あわてて知紗の体を抱きとめたはずみで、ハルヒのほうが滑ってしまった。

「え!?」

ズザザと草むらを転がり、そのまま浅い用水路のなかにバシャンと落ちる。

かけ寄ってきた母親と祖母が、あぜ道の上からのぞきこむ。

「なにやってるの、ハルヒ〜」

「平気だが？」

チハルは水にぬれるのもかまわず下までおり、ハルヒを助けおこそうとした。

「ハルヒ。どこか打ったか？」

ハルヒは、うう、とうめきながら体を起こし、顔をあげる。

「大丈夫………」

ところが。

そう言ったハルヒの瞳は、塗りつぶしたように真っ黒だった。

生きいきとした光が消え、どこを見ているのかわからない――。

チハルは一瞬うろたえ、それから返す。

「………そうか」

道にいる母親が声をかけた。

「ほら、ふたりとも、もう家に入りなさーい。ハルヒはすぐお風呂ね」

ハルヒはふらつきながら道へあがり、母親につれられて歩いていく。


そのうしろ姿を、チハルはじっとみつめた。

さっきのハルヒの表情は、少しおかしかった。いつもとはちがう。まるで別の人間になってしまったように思えたのだ。

そのときふと、チハルは資料館での出来事を思いだした。

『損傷が激しくて読めないんですけど』

そうたずねたあの写真の説明の三行目。

　　生×日である

「……待てよ。あれは……あの字は」

〝贄〟だ。

チハルはこわばった表情でつぶやいた。

「飢えで死んだんじゃない」

あの写真には「生贄日である」と書いてあったのだ。

「あの女の子は、生贄にされて殺されたんだ――――……………」

チハルは呆然として、その場に立ちつくした。


突然青ざめて立ちすくんだチハルに、ハルヒは手をのばした。

〈…………ねえ。ねえってば〉

しかし、チハルはまったく反応しない。

〈聞こえないの!?　私、ここにいるよ!?〉

まるでハルヒの姿が見えなくなってしまったかのようだ。

〈チハル兄！〉

ハルヒは先を行く母親たちにも叫ぶ。

〈ママ！　みんな！〉

誰も返事をしないし、ハルヒのほうを見もしない。

次の瞬間、ハルヒは信じられないものを目のあたりにし、息がとまりそうになった。

〈どうしてあそこに、私がいるの!?〉

母親のとなりを歩いている少女は――ハルヒそのものなのだ。

体じゅうが泥で汚れたそのハルヒは、うつむき、口もとにあやしげな笑みを浮かべて歩いている。

一体なにが起きているのだろう？

〈用水路に落ちて頭打ったと思ったら……なんで？〉

ふと自分の手のひらを見ると、半透明になってむこう側が透けている。これではまるで幽霊だ。

〈幽霊って……まさか……そんな……〉

ハルヒの体がわなわなと震えた。

〈そっか。私の体、あの子にのっとられたんだ！〉

自分の体のなかには、いま、あの少女が入っている。

そのかわり、本物のハルヒのほうは、実体のない幽霊ハルヒになってしまったのだ。

そのときふいに、夢のなかで少女が口にした「×××て」というひとことが脳裏をよぎる。

まさか。

あの子は「助けて」って言ってたんじゃない。

〈「かわって」って言ったんだ〉

母親のとなりを歩くハルヒが、幽霊ハルヒのほうを振りかえり、唇を動かした。

「私のかわりに生贄になって」

彼女はそう言って微笑むと、ふたたび幽霊ハルヒに背をむけた。

128時間目

生贄の郷 中編

幽霊になってしまったハルヒは、みんなのあとについていっしょに家に帰り、みんなが食事をする様子をながめ、少女にのっとられた偽者のハルヒやいとこたちが眠る和室でひざをかかえてひと晩をすごした。

〈意味わかんない…………なんでこんな目に…………てゆーか〉

幽霊ハルヒは叫んだ。

〈また!!?〉

けれど、叫んだところで誰かに声がとどくわけでもない。

幽霊ハルヒの姿は誰にも見えないし、声も聞こえない。

服装も昨日着ていたチュニック姿で、このままもとに戻れなかったら、ずっとこのチュニックですごさなければならなくなる。お気に入りの服ではあるけれど、着たきりなんていやだ。

〈またこんなおかしなことになってんの、自分！　幽霊になるとかどんだけ!?〉

ハルヒは以前にも、友だちの身がわりになって呪いをひきうけてしまったり、過去の世界に入りこんでしまったりと、ふしぎなことに巻きこまれた経験がある。

（はぁぁぁ!?　なんで私ばっかり………）

幽霊ハルヒは頭をかかえた。

オカルト好きな兄なら、きっとふしぎな目にあえてよろこぶだろうが、ハルヒは別にそういうものに興味はない。ちっともうれしくないし、ただただ困るだけだ。

はっと気づいて横をむくと、偽物のハルヒが目を覚まし、布団から上半身を起こした。

部屋着のTシャツと短パンを着た偽者ハルヒは、チュニック姿の幽霊ハルヒをじっとみつめる。

その瞳は、あの夢のなかの少女と同じく真っ黒だった。

（もしかして私のこと、見えてる？）

偽者ハルヒに話しかけようとしたとき、チハルの声がした。

見(み)えてる?
あ…
起(お)きてたのか

「起きてたのか」

振りかえると、チハルは布団をたたみながら、偽者ハルヒに声をかけている。

「おはよう」

〈チハル兄………〉

幽霊ハルヒはショックを受け、チハルのもとへ近づいた。

〈私ここにいるよ！　その子はちがうんだよ！　中身は私じゃない、偽者なんだよ！　ねえ！〉

しかし、肩にふれようとしても、手はチハルの体をするりと通り抜けてしまう。

〈気づいてってば!!〉

どんなに叫ぼうと、チハルはこちらに顔をむけなかった。

かわりに、真っ黒い瞳のハルヒのほうに話しかける。

「ハルヒ、早く支度しないと、大ばぁちゃんに怒られるぞ」

幽霊ハルヒは、もどかしさに頬をひきつらせた。

チハルが布団を片づけ終わるころ、大ばぁちゃんが部屋をのぞきにきた。

「だらしねな」

大ばぁちゃんはあきれ顔でハルヒを見おろし、ため息をつく。

「さっさと起きて、支度せぇ。みんなもう朝ごはん食べったで」

布団に体を起こして座っていた偽者ハルヒが、青ざめた顔で大ばぁちゃんをにらむ。

一瞬、大ばぁちゃんの表情がかたまった。しかしすぐにいつもの調子に戻ると、

「早ぐせぇ！」

と言いのこし、ろうかを歩いていった。

通りかかった明日葉が、おどろいた顔をしている。

「大ばぁちゃんをにらむなば、チャレンジャーだな」

偽者ハルヒは無表情だ。

明日葉はなにか言いたいことがあるらしく、気まずそうにもじもじしたあと、意を決したように口を開く。

「…………あー、えっと…………昨日、知紗のこと助けてくれたなが…………？」

そして、顔を赤くし、そっぽをむいて言った。

「あー、ありがとな…………」

偽者ハルヒは、なにも言わずに明日葉を見あげると、ごそごそとまた布団のなかに入っていく。

きょとんとする明日葉に、恭が言った。

「ムシされてやんの」

恭は和室のすみっこに寝転がり、タブレットをいじっていた。

「なんだおめ！　朝からイヤミかっ！」

「別に…………」

また口げんかがはじまるが、幽霊ハルヒはその様子を戸惑いながら見ているしかない。

（誰も気づいてくれない…………）

本物のハルヒだったら、大ばぁちゃんをにらんだり、明日葉を無視したりしないのに。

性格があきらかに変わってしまったのに、おかしいと思ってくれる人がいない。

そもそもどうしてあの少女は、ハルヒにこんなひどい仕打ちをするのだろう。

（なんで？　お供えしたじゃん。なにがダメだったの？　わかんない…………）

やりきれない気持ちだった。幽霊ハルヒの目に涙が浮かぶ。

（私、戻れないの!?）

しかし、あきらめてはいけない。幽霊ハルヒはチハルの口ぐせを思いだした。

――ほらな。物事にはかならず理由があるはずなんだ。


チハルはいつもそう言って、ふしぎな出来事を解決してくれた。呪いをひきうけてしまったときも、過去に入りこんでしまったときも。

〈……そうだ。おちつけ〉

ようやくハルヒは冷静さをとりもどした。

〈もう一度、ちゃんと調べるんだ。絶対理由があるはずだ……!!〉

ハルヒはきりりとまゆをあげ、こぶしを力強くにぎりしめる。

〈もう霊にやられっぱなしの私じゃないっ〉

お昼をすぎ、午後三時になっても、ハルヒは布団に寝たまま起きてこなかった。

子どもたちの寝室になっている和室で、祖母に浴衣を着せてもらっていた明日葉が、不満そうにハルヒを見やる。

そのときふいに、台所から祖父の話し声が聞こえてきて、明日葉は首をのばしてそちらを見る。

「木造の学校？」

祖父はチハルと話をしていた。

「そうです。古い木造の学校なんですけど」

「ああたしか、村役場の裏さあったな。もう廃校さなってるども」

「まだあるんですね」

「建物はあるよ。あんなとこに行ぐなが？」

すると今度は、和室のなかから元気いっぱいの声。

「ハルヒちゃんの浴衣だで。これでお祭りさ行ごーっ」

かわいらしいピンク色の浴衣を着せてもらった知紗が、ハルヒの枕もとに行き、話しかけている。

「浴衣見で〜？」

持ってきたハルヒの分の浴衣を、一生懸命に見せようとするが、ハルヒの反応はない。

それでも、知紗はお祭りに行くのが楽しみで仕方がないようだ。

ハルヒがタオルケットにくるまり背中をむけているにもかかわらず、無邪気に話しつづける。

「さっき、じーちゃんが言ってたんだども、お祭りででっけー花火、打ちあげるらしなや。やったー」

知紗は小さな手をぱっと頭の上で開き、にこにこ笑う。

「あ、ないしょだで。村のみんなをおどろかせてぇらしなや♪　うひひ、楽しみ〜」

明日葉はため息をついて、とがった声をあげた。

「知紗」

「なに〜？」

「こっちさ来ぇ。シカトされでるの、わがらねぇのが」

「え〜？　シカト〜？」

知紗はよくわかっていないらしい。ハルヒの浴衣を畳の上におくと、明日葉の近くにとことこと歩いてきた。

明日葉が布団に視線を移す。ハルヒはじっと横たわったまま動かない。

どうしたんだろうと思うものの、話しかけてみるのは気がひけた。

「はい、できだ」

と、祖母が、ととのえ終わった明日葉の帯を、ポンッとたたく。

浴衣に着がえたふたりがろうかにでたところで、うしろから呼びとめられた。

「明日葉ちゃん、知紗ちゃん」

振りかえると、チハルが立っている。

「ハルヒ、具合が悪いみたいで、俺がでてる間、様子を見ててもらえないかな」

「いいよ」

よくわかっていない知紗が即答した。

けれど、明日葉はチハルをじろりとにらむ。さっきの祖父との会話を聞いていたから、廃校に行こうとしていることを知っているのだ。

「……どこさ行ぐなや」

明日葉が問いただすと、チハルはわざとらしく微笑んだ。

「俺は、祭りの手伝いにちょっと……」

「うそつき」

チハルがぎくりとして頬をひくつかせた。

「あそこの廃校さ、行ぐんだべ!? 知ってんだど!! 昨日からこそこそなに調べてるなや!!」

明日葉のいきおいに押され、チハルは苦笑いを浮かべる。

「教えれ!!」

チハルは降参した。

「じつは………」

ハルヒの身に起こったことを、ざっと簡単に説明する。

この家の中庭とろうかで、少女の霊を見てしまったこと。

そして、資料館に行ってその少女の写真をみつけたこと。

ハルヒの様子がおかしいのは、なんらかの霊にとりつかれてしまったせいだと思われること――。

「霊さとりづがれでる〜〜〜!!?」

明日葉はすっとんきょうな声をあげた。

そういう反応になるのも当然だ。幽霊にとりつかれたなんていう話、すぐに信じられる人のほうが少ないだろう。

「ハルヒが見た、その女の子が関係してると思うんだ」

「マジで言ってるなが………」

完全にひいている。しかし、チハルはいたって本気なのだった。

「この学校に行けば、なにか手がかりがみつかるかもしれない」

そう言って、スマートフォンで撮影してきた、あの集合写真を見せる。

「オカルトオタクの、もーそーでねぇの？」

半信半疑といった表情を浮かべ、写真に見入る明日葉の横で、知紗はまんまるい目をして、寝ているハルヒをみつめていた。

「ハルヒちゃん、かわいそう。だからあんなこわがってるなが………」

言われてみれば、なにかにおびえているようにも思えた。

タオルケットにくるまるハルヒは、カタカタと小刻みに震えている。

昨日まであんなに元気で、明日葉を怒鳴りつけたりしていたのに。

明日葉は、横たわるハルヒをしばらくじっとみつめたあと、口を開く。

「………わがった。」

「そうなんだ。霊だかなんだが知らねども、行がねばなんねんだべ？」

すると、明日葉はきっぱりと言った。

「本当はハルヒの様子が心配なんだけど――」

「したら、私が行ぐ」

「え？」

カタ
カタ
だがら あんな
怖がってるなが
……
……
…わがった
霊だか何だが
知らねども
行がねば
なんねんだべ？
したら
私が行ぐ
え
でも…
あーいいいい!!
私の地元
だがら
私が一番
知ってる

明日葉は、たいしたことないとでもいうように、手をサッサッと振る。

「あー、いいのいいの。よそモンのおめより知ってるし」

「でも、大丈夫？」

「私の地元だがら、私が一番知ってる。おめはハルヒのことさ見ててやれ」

明日葉によれば――友だちと何度かこっそり廃校のなかに入ったことがある。正面玄関のドアは開かないが、裏口からなら入れることを知っている。

だから、なかでなにかをさがすとしたら、チハルよりもうまくやれる自信がある――。

それを聞いて、チハルはようやくいつものおだやかな笑顔に戻った。

「ありがとう」

すると、いつからそこにいたのか、タブレットを持った恭がとなりの和室からでてきて、ぼそりと言う。

「都会モンにやさしいじゃん」

「そ、その…………妹を助けてくれた礼だっ」

「は？」

恭がわざとらしく聞きかえしてきたので、明日葉の顔はとたんに赤くなった。

「なんでもねっ。横浜！　おめも行くど！」

「え？　僕も？」

よけいなツッコミを入れたせいで、恭はつきあわされるはめになったのだった。


そのころ、幽霊ハルヒは――――。

ひとりで〝緑生村資料館〟に来ていた。

チハルの口ぐせ「物事にはかならず理由がある」という言葉を思いだし、こんなことになってしまった理由をさがそうとやってきたのだった。

いまのハルヒは実体がないので、ドアを開けずにするりと通り抜けることができる。

しかし。

〈…………来てみたはいいけど〉

本棚にある資料をとろうとしても、手がすり抜けてしまう。

〈本にさわれないじゃん！〉

何度やってみてもだめだった。幽霊になるということは、けっこう不便なのだ。

〈どうしよう………〉

あきらめて外にでた。

今日も空は晴れていて、日差しが強い。セミがうるさいほどに鳴いている。

それでも暑さを感じないのは、ハルヒが幽霊になってしまったからだろう。昨日からなにも食べていないのに、おなかもすかない。

〈幽霊になってよかったことがあるとすれば、それだけだよ〉

まぶしそうに空を見あげたハルヒは、村役場の裏手の森に、古い建物があることに気づいた。

〈ん？〉

おんぼろの木造の建物で、窓のガラスはほとんど割れている。

どうやら昔の学校のようだ。

〈あんなところに学校？〉

どこかで見たことがあるような気がして、ハルヒは目をこらす。

〈昨日は学校があることすら、気づかなかったな〉

見ているうちに、だんだん思いだしてきた。

〈あれ？　待って……あれって写真の……〉

昨日、資料館で見た写真に写っていた学校だ。

それに気づいた瞬間、ハルヒは走りだした。森はこんもりとした山になっていて、学校までははゆるい坂道がつづいている。

夢中で走っていくと、突然木々がひらけ、平らな草地にでた。

そこに、こぢんまりとした二階建ての木造校舎があった。

〈やっぱり写ってた学校だ〉

写真に写っていた正面玄関がある。この前で、少女たち九人が集合写真を撮ったのだ。

あの写真は八十年以上も前のものだから、写っていた校舎はもっときれいだった。窓ガラスは割れていなかったし、屋根や外壁もこんなに朽ちていなかった。

〈でも、まちがいない。ここだ。入ってみよう〉

緊張と恐怖で、ハルヒののどがごくりと鳴った。

正面の扉に手をのばすと、体はすっと通り抜けていった。そのままなかへ入っていく。

〈廃校………か〉

校舎のなかはうす暗く、カビや土のにおいがした。

玄関のすぐ横にあった教室をのぞいてみると、机や椅子はなくがらんどうで、ところどころ床が抜けている。

それでも、思ったよりはきれいだ。

〈建物のなかに草が生えてたり、黒板に落書きがあったりするかと思った〉

いまのハルヒには温度がよくわからないが、きっと辺りはひんやりしているだろうと感じた。

そう思うくらい、不気味な気配がただよっている。

もしかしたら、ハルヒが幽霊になってしまったせいで、ふだんより強く怪異の気配を感じているのかもしれない。

〈………なにかでたりしないよね………オバケとか〉

自分が幽霊になったくせに、やっぱりオバケはこわい。ハルヒはぶるっと身震いをして、ゆっくりとろうかを歩く。

一階の教室やろうかをひととおり見てみたが、手がかりになりそうなものは、ひとつもみつからなかった。

〈二階も見ないと………〉

ハルヒは正面玄関を入ってすぐの階段をのぼっていった。

その壁に、ずらりと額がならんでいるが、ずいぶん長くかけられていたらしく、かたむいてはずれかかっているものや、落ちてガラスが割れているものもある。

一番はしにあった額をのぞいてみると。

〈賞状？〉

この学校がなにかで表彰されたときの賞状だ。平成元年と書いてある。

〈こっちは創立五十周年の記念写真だ〉

正面玄関の前に、二十人ほどの児童と先生がならんで写っている。

壁にかかっている額には、そういった集合写真や賞状のほかに、子どもたちが教室で授業を受けている写真、校庭で遊んでいる写真などもある。

ハルヒは階段をのぼりながら、一つひとつ額を見ていった。上にのぼるほど、だんだんと写真や賞状の時代がさかのぼっていく。

そして、一階と二階の中間の踊り場に来たときだった。

ハルヒはセピア色に変色した一枚の写真を目にして、思わず声をあげた。

〈あっ………〉

ふたりの少女が笑顔でよりそっている写真だ。

そのうちのひとりが、夢に現れたあの少女だったのだ。

〈やっぱりここの生徒だったんだ〉

肩より下までのびた長い髪に、ブラウスとスカート。まちがいない。

少女の横には「暮知雛子」と名前も書かれている。

〈………どうして〉

ハルヒは、明るい笑顔で写っている少女をみつめて、問いかけた。

〈雛子さん。どうして私と入れかわったの………〉

雛子のとなりにいるおかっぱ頭の少女は、きっとこの子の親友なのだろう。ふたりとも幸せそうに笑っている。

写真の下には「昭和十三年　高等小学校一年生」とある。この写真を撮った同じ年に、少女は餓死してしまったのだ。

〈食べ物がなくて苦しかったから？　なにか思いのこすことがあったから？〉

少女はハルヒの体をのっとったあと、こう言った。


——私のかわりに生贄になって。


〈どういう意味なの？〉

と、そのときだった。

階段の下から、なにかが動く音が聞こえてきた。

ズル……ズル……。

床をするような音だ。

ハルヒは振りかえり、階段の手すりのむこうをのぞきこんだ。

ズル……ズル……。

ろうかのまがり角の先から聞こえてくる。

音は次第に大きくなった。だんだんこちらに近づいているようだ。

〈な、なんの音……？〉

おびえたハルヒが身をすくめた、次の瞬間だった。

まがり角から、老婆が現れた。

白髪をうしろでまとめた和服姿の老婆が、ズル、ズル、と草履をすりながら歩いている。

〈ひっ！〉

ハルヒはとっさにしゃがみ、手すりの内側に身をかくした。

〈なにあれ！　なに!?〉

すると今度は、二階のろうかからも音が聞こえてくる。

コツ……コツ……。

はっと顔をあげると、人影がゆっくりとろうかを横切っているところだった。

私と入れ代わったの…
ズル…
ズル…
ズル…
…ズル…
ズル

地味な色合いの和服を着た女と、ワイシャツとズボン姿の男。コツコツという音は、男の足音だ。

〈ど、どうしよう…………〉

青ざめて震えるハルヒを追いつめるように、また音がする。

タタタタ………。

せわしない音は、子どもの足音だった。まだ四歳くらいだろうか、ワンピースを着た髪の長い女の子が、さっきの男女のあとをついていく。

ハルヒはしゃがんだまま背中をまるめ、ちぢこまった。

〈チ、チハル兄っ！〉

思わず兄の名前を口にする。

〈助けてっ！〉


ちょうどそのころ。

緑川家の和室にいたチハルは、布団に横たわるハルヒのかたわらで本を読んでいた。

『霊障、たたり、呪い』というタイトルの、またしてもオカルト本だ。

明日葉たちが廃校にでかけたあとも、ハルヒはタオルケットにくるまったまま、起きあがらない。

いとこたちがいないせいか、家のなかはとても静かだった。

開いた窓の外から、セミの声が聞こえてくる。

ふいに、誰かに名前を呼ばれたような気がして、チハルは本から顔をあげた。

「気のせいか」

そうつぶやき、ふたたび本に視線を戻した、そのときだった。

「死にてぐねぇ………」

ぼそぼそとささやくような声が、やはり聞こえてくる。

横たわっているハルヒがしゃべっているのだ。

チハルは本を畳の上におき、背中をむけて横たわっているハルヒをみつめる。

「ハル──」

と言いかけて、彼は口をつぐんだ。

これは、ハルヒじゃない。体はハルヒだが、中身はあきらかに別の人間だ。

その証拠に、いま彼女は、この土地の方言でしゃべった。

「あなたは、誰ですか？」

チハルはゆっくりと丁寧に、そうたずねる。

なにもこたえないが、彼の声はちゃんと聞こえているようだった。

「もしかして――暮知雛子さん？」


そのころ、校舎の二階にいる幽霊ハルヒは、ろうかを必死に走っていた。

〈やばい、ここやばいっ！〉

ハァハァと息がきれる。幽霊になっても、走ったりこわい思いをしたりすれば、心臓がバクバクと飛びあがるように鳴るものらしい。

〈そこらじゅうにいるっ！〉

この校舎には、あの老婆や子どものほかに何体もの霊がいて、なにかをさがしているのか、うろうろ歩きまわっている。

彼らから身をかくしながら移動しているうちに、校舎のはしのほうまで来てしまった。

〈早くここからでなくちゃ！〉

走るハルヒは、割れた窓ガラスの隙間から、ちらりと外を見やる。

そして、おどろいて立ちどまった。

〈うそ……みんな、なんで!?〉

正面玄関のすぐ外を、浴衣を着た明日葉と知紗、タブレットを持った恭が歩いているのだ。

三人のおしゃべりが聞こえてくる。

「なんで僕まで……」

「どーせヒマだべ。スマホばっかいじってねーで、少しは体動かせ」

「母親か。それに、スマホじゃないし。タブレットだし」

「んなごと知ってるし！　ワザとだし！」

「ふーん……」

恭と明日葉はまた口ゲンカをしている。

その横で、知紗はこぶしをつきあげ、はりきっている。

「ハルヒちゃんを助けっどー。おー！」

〈私を助ける!?〉

ハルヒはあわてて窓から叫んだ。

〈みんな！　来ちゃダメ！〉

しかし、幽霊ハルヒの声は、誰にも聞こえない。みんなは気づくことなく、校舎の裏にまわっていった。


明日葉と知紗、恭の三人は、幽霊ハルヒがそこにいることを知らない。

わいわい騒ぎながら裏口に行き、建物のなかに入ったものの、うす暗いろうかで立ちすくんだ。


「…………」

外よりもずいぶん涼しく、それだけでも気味が悪い。

恐怖をふきとばすためか、明日葉がわざとらしく元気な声をだす。

「な、なんや。いま、昼間だべ？　なってもこわぐね…………」

タブレットを小脇にかかえた恭がつっこむ。

「びびってんだろ」

「はぁ!?　んなワケねーべ!!」

「ちなみに僕はぜんぜんこわくない」

「うそつげ！」

するとそのとき、階段にかけてある額を見た知紗が、大声をあげた。

「あっ！」

「わーっ！」

おどろいた明日葉が叫び、びくっと身をすくめた。恭はまったく動じていない。本当にこわくないようだ。

知紗が、踊り場の壁にあった一枚の写真を指さす。

「あれ、チハルくんが言ってた子」

明日葉と恭は、写真に近寄ってよく見てみた。

「本当だ」

その写真には、少女がふたり写っていて、むかって右側の子は、チハルのスマートフォンに入っていた写真と同じ子だった。

「知紗、おてがら！」

明日葉がほめると、知紗はうれしそうに笑った。

「えへへー」

「ほら、横浜！　早く写真撮れ」

「えー…………」

「そのためにタブレット持ってんだべ」

「うー…………」

恭はしぶしぶタブレットのレンズを額にむけ、写真を撮りはじめた。

その間、手持ちぶさたになった知紗は、一階におりて、あたりをきょろきょろと見まわしていた。

すると突然、ある一点で目がとまる。

ろうかの奥のうす暗い教室から、小さな人形が顔をのぞかせていたのだ。
どうやら誰かが人形を持ち、その手を扉の外に、にょきっとつきだしているらしい。

「お人形……」

髪は毛糸、目はボタン、口は糸で刺しゅうをしただけの粗末な布人形だった。けれど、知紗にはそれがとてもかわいらしく見えた。

教室のなかにいる誰かは、人形をちょこちょこと振った。「あそぼ」と知紗を誘っているようだ。

「わあ」

知紗はパッと顔を輝かせ、人形のほうへ走っていく――。

幽霊ハルヒが二階からおりていったのは、まさにその直後だった。

〈みんな！　早くここからでてっ！〉

タブレットで写真を撮っている恭と明日葉に訴えるが、ハルヒの声は、ふたりには聞こえていない。

さわろうとして手をのばしても、ふたりの体をすり抜けてしまう。

どうにかして気づかせる方法はないかと考えたが、いい案は思いうかばなかった。

そのとき、ハルヒは気づいた。

〈あれ？　知紗ちゃんは？〉

知紗がいないのだ。

〈ねえ、明日葉ちゃん、恭くん！　知紗ちゃんがいないよ！〉

ふたりとも壁にかかっている額を一つひとつたしかめながら、階段を上へとあがっていく。

〈気づいてない…………〉

一階から足音が聞こえたような気がした。

ハルヒはふたりをそのままにし、一階へかけおりていく。

すると、ろうかの奥にある教室のなかへ、ピンク色の浴衣を着たうしろ姿が入っていくのが見えた。

〈知紗ちゃん！〉

知紗は、ふしぎな人形を追いかけるように教室に入っていった。

しかし、そこには誰もいない。さっきの人形は、床に落ちている。

「あっ」

かがんで人形をひろいあげる知紗の体に――黒いかげが落ちた。

なにかが現れたのだ。人間には見えないなにかが。

「んー？」

知紗が気配を感じて顔をあげるが、もちろんなにも見えていない。

しかし、そこにはいた。

あの女の霊や、子どもの霊が――。


ヒ…………ナ…………コ…………。

女の霊がやせて骨ばった手をのばし、知紗にふれようとする。

霊たちは、口々に名前を呼んでいた。

ヒ…………ナ…………コ…………。

間一髪で教室に飛びこんでいったハルヒが、知紗の体におおいかぶさる。
〈だめっ!!〉
しかし、実体のないハルヒの体は、知紗の体をつき抜けてよろけ――そのむこうにいた女の霊にぶつかった。

ドクン。

霊にぶつかった瞬間、ハルヒのなかでなにかが反応した。
まるで全身の血が沸騰したような衝撃だった。
ハルヒの頭のなかに、ハルヒではない誰かの記憶が流れこんできた。

――雛子、誕生日おめでとう。

そんな声が聞こえてくる。

雛子――これは、暮知雛子の記憶だ。

●

『雛子、誕生日おめでとう』

『ありがとう、お父ちゃん、お母ちゃん』

夏生まれの雛子は、誕生日にスイカを食べるのが楽しみだった。

しかし、一昨年からつづく雨不足のせいで、ろくに食べることができていない。

今年は特に天候がひどく、大事な稲がぜんぜん成長しない。野菜もほぼ全滅だ。

村人はみんなやせてしまい、田んぼや畑をながめては、絶望的なため息をつくばかりだった。

それでも楽しいことはある。夏の祭りだ。

『なあ、雪ちゃん。でっけ花火見だことあるか？　見ってみてぇもんだな〜』

今年の村祭りでは、花火を打ちあげることになったそうだ。こんなときだからこそ、神様への奉納として、一発だけ打ちあげるらしい。

おかっぱ頭の親友、雪枝が笑った。

『したらいっしょに行くべ。約束な』

雛子と雪枝は同い年の幼なじみだった。同じ学校に通い、家も村のなかでは一番近い。

『約束な』

ふたりはそう言いあって、指きりをした。

しかし、その約束がかなうことはなかった。

そのころ、雛子の家では、よく大人たちの寄り合いが開かれるようになった。

『今年の雨不足だば深刻だ……』

その日も、家族や村の者たちが土間に集合していた。みんな、がっくりとうなだれている。

『見れ。野菜がこれだけしかとれね』

『このままだば、みんな餓死する』

祖母が両手で顔をおおい、涙を流しはじめる。

『神様さ祈っても、祈っても、意味ねぇ…………』

自然が相手では、人間などなすすべもない。話しあったところで、解決策はみつからなかった。

しばらくの間、土間に祖母のすすり泣く声がひびいていたが、やがてぽつりと言った。

『昔も同じようなことさあった』

大人たちの間に緊張が走る。

やがて、みんなは口々に言いはじめた。

『…………やらねばなんねのが』

『んだな』

『昔からの儀式を』

『神様さ貢げば、もしかしたら…………』

『生贄をささげれば』

『生贄を』
『生贄を』

それから数日後、雛子は両親に呼ばれ、仏間に行った。
なにごとだろうと思いながら、かしこまって座るふたりの前に正座をする。
父親は、血走った目で雛子をみつめ、しきりにあやまる。
『雛子、悪い、悪な』
『おめが選ばれてしまった』
雛子は、両親がなにを言っているのか、すぐには理解できずにきょとんとした。
母親がわっと泣きだす。
『ごめんな、ごめんな……ごめんな………』
『みなで神様さおうかがいたでで、おめが………』
『生贄さ、選ばれてしまった――』

当日も、かんかん照りの一日だった。

雛子は大人たちに体を押さえつけられ、学校の裏手の森につれていかれた。

ここに来るまでは、あきらめておとなしくしていた雛子だったが、やっぱり死ぬのはいやだったのだ。

『お父ちゃん、お母ちゃん、助けでっ！』

しかし、暴れても、叫んでも、誰も助けてくれない。

両親はなにかにとりつかれたようにうつろな目をして、同じ言葉ばかりくりかえす。

『雛子……誇りに思ってぐれ……』

『村のためだぁ……許しでぐれ……』

穴はもう掘られていた。深さが二メートルほどある。

そこへ着くなり、雛子の体はあっという間に穴に落とされた。

『お父ちゃん、お母ちゃん！』

穴の外にいる村人たちが、スコップで土をかけはじめた。

ごめんな、ごめんな、とみんながつぶやいている。

『雪ちゃん、助けで！』

雪枝はその場にいなかった。それでも雛子は、親友の名前を必死に呼ぶ。

『雪ちゃん……雪ちゃんっ……』

ごめんな、ごめんな、という呪文のような声と、重たい土が、穴の上からとめどなく降ってくる。

『助けで、助けで、助けでっ！』

ごめんな、ごめんな、ごめんな。

『やっぱり死にてぐねぇ……死にてぐねぇよぉ……』

体に、顔に、土がかけられる。

苦しくて息ができない。

やがて、雛子の視界は真っ暗になった。

タスケテ――。

●

一方、緑川家では。

「もしかして――暮知雛子さん？」

チハルは、布団に横たわっているハルヒにそうたずねた。

ハルヒはゆっくりと起きあがり、自分の体を抱きしめるようにして背中をまるめる。

「……たす……け、て……………」

その体は、ガタガタと震えていた。

「死にてぐねぇ………死にてぐねぇ………死にてぐねぇ…………」

チハルは、震えるハルヒの――いや、雛子の背中をみつめ、静かな声で言う。

「そんなことしない。俺とハルヒは、あなたを助けたいんだ」

雛子の震えが、じょじょにおさまっていく。

やがて完全に震えはとまった。

ちょうどそのとき、玄関のほうからバタバタと騒がしい音が聞こえてきた。なにごとか起きたらしい。

チハルは和室から顔をだし、玄関をのぞいた。

わんわんと大泣きしている明日葉のまわりに、恭と彼らの両親が立っている。

「おちついて、明日葉。なにがあったなや」

「知紗が…………いねぐなって…………」

明日葉はそこまで言うと、のどをつまらせ、わぁぁぁぁと泣きさけんだ。

「どうしよう、どうしよう」

動揺が激しく、うまく説明ができないようだ。

チハルが近づいていくと、恭が訴えるようにみつめてきた。

「ふたりで写真撮ってたら、いつの間にか消えてて…………さがしたけど…………」

そして、タブレットを差しだす。

「これ…………」

明日葉たちは廃校でなにかをみつけ、撮影してきたのだろう。

チハルはタブレットを受けとると、力強く言った。

「知紗ちゃんは、かならずみつけるよ」

その場でタブレットの画像アルバムをスクロールしていく。

校舎のなかを撮影した画像がつづいたあと、額に入った写真の画像がでてきた。

少女がふたり、笑いながら寄りそっている写真だ。

むかって右側の髪の長い少女は雛子だった。

左側の、おかっぱ頭の少女の横にも、名前が書いてある。

緑川雪枝

その名前を目にした瞬間、チハルはろうかをかけだした。

「大ばぁちゃん！」

書斎の障子戸を開けると、文机の前に正座をしていた大ばぁちゃんが、迷惑そうに振りかえった。

「騒々しな。なにしたなや、チハル」

そう言うと、老眼鏡をはずし、読んでいた本を机においた。

「これ、大ばぁちゃんだよね」

チハルは、タブレットを前にかかげた。

「緑川雪枝」

大ばぁちゃんはなにもこたえずに、タブレットの写真をみつめる。

その表情は、次第に凍りついていった。

●

遠くから祭りばやしの音が聞こえてくる。

幽霊ハルヒは目を覚ました。どうやら気を失っていたようだ。

〈…………ここ、どこ？〉

空が見える。満天の星。すっかり夜になってしまったらしい。どこかに落ちたのか、ま

暮知雛子
緑川雪枝
緑川雪枝
バンッ
ドタドタ
騒々しな
何したなやチハル

わりを土にかこまれている。

　ふと横を見ると、ピンク色の浴衣を着た知紗が倒れていた。

〈え？　知紗ちゃん!?〉

　だんだん気を失う前のことを思いだしてきた。

　女の幽霊にさわられそうになった知紗を、ハルヒが助けたのだ。

　助けたはずなのに、なぜふたりともこんな土の上に横たわっているのだろう。

〈知紗ちゃん、起きて！　起きて！〉

　知紗は眠ったまま目覚めない。

　そもそも、もし目を覚ましていたとしても、ハルヒの声は知紗には聞こえなかった。助けおこそうとしても体をすり抜けてしまう。

〈知紗ちゃん！〉

　そのとき、上のほうから不気味な声が聞こえてきた。

　――ごめんな……ごめんな……。

　はっと見あげると、黒い人影のようなものが何体も立ち、ハルヒと知紗を見おろしている。真っ黒い人影は、目だけが猫のように光っていた。

ハルヒはようやく気づいたのだった。

〈ここってもしかして……穴の底……〉

雛子が埋められた穴とよく似た穴に、ハルヒと知紗は落とされていたのだ。

〈まさか「かわって」って、これなの!?〉

雛子のかわりに、ハルヒと知紗を生贄にしようとしている——!!

——ごめんな。

穴の上にいるかげのひとりがそう言うと、手に持っていたスコップをひっくりかえす。

ザザッと土が注がれ、ハルヒの足もとに山を作った。

——ごめんな。

ほかのかげもみんなスコップをにぎっていた。いっせいに土を穴に落としはじめる。

かげのなかには小さな子どももいた。そのかげは、知紗をおびき寄せた布人形を持っている。

土はどんどん落ちてきた。

このままだと、ふたりとも生き埋めにされてしまう――。

ハルヒと知紗が埋められようとしているそのとき、緑川家では。

チハルが、大ばぁちゃんと対峙していた。

「教えてよ、大ばぁちゃん」

すると、彼女はおもむろに立ちあがった。背筋をのばし、チハルをまっすぐに見すえる。

チハルはその視線を受けとめ、ゆっくりと言った。

「八十年前、なにがあったのか」

128時間目(じかんめ)

生贄(いけにえ)の郷(さと) 後編(こうへん)

「大ばぁちゃんは、雛子さんと友だちだったの？」

チハルの質問に、大ばぁちゃん――緑川雪枝はしばらくだまりこくったあと、こたえた。

「そった人、知らね」

「でも――」

「さっさど祭りさ行げ」

雪枝はチハルの言葉をさえぎり、くるりと背中をむけた。

そのときだった。

「雪……ちゃん」

ろうかから、か細い声がして、チハルと雪枝はおどろいて振りかえる。

そこには、さっきまで布団で震えていたハルヒが立っていた。

いや、ハルヒの体に宿った雛子だ。雪枝には彼女が、雛子そのものに見えた。

雛子の真っ黒な瞳から、涙がひとすじすうっと流れおちる。

雪枝は目を見開き、よろよろとあとずさった。

「…………な」

その拍子に足もとにあった配線コードにひっかかり、テーブルランプがガシャンと畳に落ちる。

雪枝の脳裏に、あのおそろしい声がよみがえった。


——ごめんな、ごめんな。


あの日、雛子をつれていった大人たちは、呪文のようにくりかえしていた。

その様子を遠くから見ていた彼女は、こわくなって逃げ帰った。

おかっぱ頭の緑川雪枝は、親友が埋められている間、家で震えていた。

心のなかで「ごめんな、ごめんな」とあやまりながら――。

そして八十年以上たったいま、雪枝はこんな形で雛子と再会したのだった。

「あ……まさか……」

雪枝はうろたえ、額から冷や汗を流した。

ハルヒの体を借りた雛子は、おびえる雪枝にくるりと背中をむけると、ろうかを走りだす。

チハルはあわててあとを追った。

「雛子さん！」

雛子は靴もはかずに、裸足のまま夜の屋外へ走っていく。

「待って！」

追いついて腕をつかむと、やっと雛子は立ちどまった。

足は汚れ、下草の葉で切ったのか、すねに傷がいくつもできている。

「悪いけど、あまり無茶しないでくれ。大事な妹の体なんだ」

雛子が顔をそむける。見た目はハルヒの姿なので、どうにも調子がくるってしまう。

「本物のハルヒの様子はわかる？」

そう問いかけると、ハルヒの体をした雛子はぼそぼそとなにかをささやく。

「ハルヒは無事だよね？」

真っ黒な瞳が、虚空をみつめた。

「……………生贄さ、なった…………」

「生贄？」

雛子は両手を体の前で合わせぎゅっとにぎると、ブルブルと震えはじめた。

「なんで…………私が…………」

雛子はおびえている。

死んだあともまだ、心は恐怖でいっぱいなのだ。

「さっきも言ったけど、俺はきみを見捨てない。きっとハルヒも同じだよ」

ハルヒの体のなかにいる雛子は、思いだしていた。

この青年と妹は、自分の墓にわざわざやってきて、野菜と果物をおいていった。妹のほうは「これでおなかいっぱいになるかな」と手を合わせた――。

「――私を、見捨てない……」

「うん。だからまず、ハルヒを助けるにはどうしたらいいか、教えてくれ」

返事がない。チハルはこたえが返ってくるまで、辛抱強く待った。

やがて雛子は言った。

「家族をとめて……」

「家族？」

しかし、それにはこたえず、チハルを振りはらうようにかけだす。

「雛子さんっ！」

チハルはもうそれ以上追うことはせず、走り去るうしろ姿をみつめてつぶやく。

「あの子の、家族……」

ジーンズのポケットからスマートフォンをだし、昭和十三年に撮られたあの集合写真を表示させる。

よく見れば、雛子のうしろに立っているのは緑川雪枝――子どものころの大ばぁちゃんだ。

たしか写真の裏には、〝家族、友人らとならんで写る〟と記してあった。

大ばぁちゃんは雛子のことを知らないと言ったが、それはうそだ。友だちだったのだ。

ちょうどそのとき、縁側にいた明日葉と恭は、チハルとハルヒのやりとりを目撃していた。

「なにいまの会話。あれ、ハルヒ本人じゃないってこと？」

そう言う恭は相変わらず無表情だったが、じつはけっこう動揺していた。

「ハルヒのこと、雛子って呼んでたし」

幽霊にとりつかれたなんてでたらめだと思っていたが、これではまるで本当にとりつかれているみたいだ。

明日葉を見ると、彼女はまだ目に涙をため、くやしそうにうつむいている。

知紗のことが心配な気持ちと、目をはなしてしまった後悔で、胸がはりさけそうなのだ。

「…………」

じっと押しだまっていた明日葉が、突然、縁側からおり、ビーチサンダルをつっかけて外へ飛びだしていった。

「どこ行くんだよ。勝手にでるなよ」

両親たちからは、外にでないようにと言われている。

「おいっ！」

いつもは大人の言いつけを守る恭だったが、このときばかりは、明日葉を追いかけて走りだした。

恭もみんなのことが心配だったのだ。

そして家のなかでは、別の騒ぎが起きていた。

「大変だ！　大ばぁちゃんが！」

祖父の動転した声が、ろうかにひびく。

書斎を通りかかった祖父が、畳の上に倒れている大ばぁちゃんをみつけたのだ。

●

チュニック姿の幽霊ハルヒは、まだ知紗といっしょに穴の底にいた。

必死に知紗を目覚めさせようとするが、声がとどかず、体にもふれられず、どうすることもできない。

〈知紗ちゃん！　起きて！〉

穴の上からは、ずっと不気味な声が聞こえていた。

――ごめんな。

――ごめんな。

――ごめんな。

そうつぶやきながら、いくつもの黒い人影が、スコップで土を落としている。

ハルヒと知紗の体は、もう半分ほど土に埋まっている状態だった。

（早く外にださなきゃ！）

上から落ちてきた土が、知紗の首もとにザッとかかる。

（このままじゃ、この子、息ができなくなる！）

幽霊ハルヒは、声をからして叫ぶ。

〈起きて!!〉

けれど、状況はなにも変わらなかった。

知紗の体が、じょじょに土の下敷きになっていく。早くしないと、生き埋めにされてしまう――。

（どうしよう……どうすればいいの……）

ハルヒがギリッと奥歯をかんだ、そのときだった。

誰かの手がのびてきて、ザッと土をかきわけたのだ。

ハルヒが見あげると、そこにいたのは。

〈え……〉

Tシャツを着たハルヒ――つまり、雛子を宿した自分の体だった。彼女は穴のなかまでおりてきて、土をかきわけている。

ハルヒの体にのりうつっていた雛子は、幽霊となったハルヒを見おろした。

彼女はもう迷わなかった。

誰かを身がわりにするのは、やめた。そんなことをしても、自分の魂は救われない。

借りていた緑川ハルヒの体は、ここで返すつもりだった。

地面にひざをついてしゃがんだ雛子は、穴の上を振りあおいで、するどくにらむ。

「お父ちゃん、お母ちゃん、やめて」

黒い人影――怨霊となった両親や村人たちは、スコップを持つ手をとめ、雛子をじろりと見おろす。

その目を見ているうちに、雛子の頭のなかに、あのときみんなからぶつけられた言葉がよみがえった。

――生贄だ。

――おめがなれば全部まるくおさまるなや。

――雛子さえささげれば。

――この子さえ死ねば。

あのとき、大人たちは誰も助けようとしてくれなかった。

雛子本人もあきらめてしまった。村の神様が選んだのだから仕方がない、と。

ただひとり「逃げよう」と言ってくれたのは、雪枝だった。けれど。

――そった人、知らね。

雪枝にまで見捨てられてしまった。

ふと視線を移すと、幽霊のハルヒが、心配そうに自分のことをみつめている。

――俺はきみを見捨てない。きっとハルヒも同じだよ。

チハルという名の、この子の兄がそう言った。

だから、もうやめる。

みにくい怨霊になってしまった家族や村人のことも、もう見ていたくなかった。

「こったごと、もうやめて！」

雛子は穴の上にむかって叫ぶと、ザクザクと土をかきわけて小さな知紗の体を掘りだし、
平らな場所へとひっぱりだした。

幽霊のハルヒは、自力で土から這いだせるだろう。

自分の仕事をやり終えた雛子は、息をととのえると、すうっとハルヒの体から抜けだした。


Tシャツ姿のハルヒの体が、ドサッと地面に倒れる。

それと同時に、髪の長い少女がそこに現れた。

白いブラウスと濃い紺色のスカートを身につけた、暮知雛子だ。

倒れているハルヒの体にはいま、誰の魂も入っていない。からっぽの状態だった。

そしてハルヒの魂――つまり幽霊ハルヒは、ちょうど土から這いだしたところだった。


ドサッという音で顔をあげた幽霊ハルヒは、倒れている自分の体と、立っている雛子の姿を目にして、息をのんだ。

〈ひ、雛子……さん……〉

〈生贄だば、私がなる〉

雛子が近づいてきた。

〈いままでごめんな〉

雛子は、真っ黒い瞳で幽霊ハルヒをみつめると、胸のあたりをトンと手で押した。

〈行げ〉

ドクン。

ハルヒのなかで、またなにかが反応した。

まるで全身の血が沸騰したような衝撃。

雛子の記憶が、ハルヒのなかで像をむすんだ。

●

昭和十三年の夏。

雛子と雪枝は、ギラギラと照りつける太陽の下を歩いていた。

『村祭りは、もちろん浴衣着ていぐなが？』

やせ細った雪枝が、そう言ってにこにこと笑う。

まわりはずっとむこうまで田んぼと畑がひろがっているが、雨不足のせいでどこの作物も茶色く枯れている。なにも植えられず土くれしかない畑もあった。

『着ていぐよ。雪ちゃんも？』

雛子がこたえると、雪枝は嬉しそうに空を見あげた。

『うん。楽しみだ～』

しかし、それから何日もたたないうちに、事態は急変したのだった。

食べられる野草をさがしに、ふたりで学校の裏手の森へでかけたときのことだ。

『明日みんなで写真さ撮るって聞いたんだども、なんで？』

草をつみながら、雪枝が首をかしげる。

昨日からずっと雛子がふさぎこんでいるので、心配しているようだった。

『雛子も聞いでねっが？』

雛子はこたえずに、木漏れ日の下で草をつみつづけている。
おなかがすいてしかたがなかった。ふたりとも何週間もろくな食事ができていない。
無口な雛子を気づかって、雪枝はいろいろと話しかける。
しばらくすると、突然手をとめた雛子が言った。
『私、選ばれてしまった』
『え……？』
『生贄の話、ばあちゃんたちから聞いでねが』
『…………』
雪枝は言葉を失った。
『雨さ降らねっから、私にきまった』
『うそだ。雛子が、生贄……？』
青ざめた雪枝が叫ぶ。
『そったなダメだ！　許さね!!　私が助けるがら』
雛子にかけ寄ると、手をつかんでぐいっとひっぱった。

『いっしょに逃げっど！　なっ!?』

しかし、雛子はその場から動こうとしない。

もうあきらめてしまったのだ。神様と村のみんながきめたことだ。だまって従うべきだし、誇りに思わなくてはいけなかった。

それに、もし雛子が逃げたら、かわりに誰かが生贄になる。

それは雪枝かもしれない。

『………わりぃな』

雛子は雪枝の手をやさしく振りはらい、微笑む。

『雪ちゃんがいて、いがった』

『なに言ってるなや、友だちだべ!?』

そう言って、雪枝はもう一度手を差しだした。

『友だちだべ！』

はっと気づくと、雛子は穴の底に体を半分埋められた状態で横たわっていた。

（結局、これでいがったんだ）

この穴から逃げてハルヒにとりついたせいで、両親たちはほかの生贄をさがし、怨霊のようになってしまった。そうさせないためには、おとなしく従うしかないのだ。

雛子は凍りついた表情のまま胸の上で両手を組み、そっと目を閉じた。

選ばれたのだから仕方がない。

みんなのためだから、誇りに思わなくてはいけない。

本当はお祭りに行きたかった。もっといろいろなことがしたかった。

もっと生きたかったのに。

〈雪……ちゃん……〉

消えいりそうな声で、親友の名前を呼んだ。

『雛子』

雪枝にそう呼ばれたような気がした。でもきっと聞きちがいだ。もう自分に声をかけてくれる人なんていないのだから――。

〈雛子さんっ！〉

そのとき、誰かに手を力強くにぎられ、雛子はまぶたを開いた。

目の前にいたのは、幽霊のハルヒだ。雛子をみつめ、必死に呼びかけている。

〈さんざん人のこと振りまわしといて、なに言ってんの。これで終わりなんてダメだよ〉

雛子はおどろいて目を見開く。

〈あなたはどうして私とかわったの？　本当はあのとき………〉

真夜中、眠るハルヒのもとへ行ったとき。

〈助けてって言いたかったんでしょ!?〉


そうだ。

ずっとそう言いたかったのだった。

中庭からハルヒのことを見ていたときも。

広間にいるハルヒを、ろうかから見ていたときも。

「かわって」ではなく「助けて」と。

こわばった雛子の表情が、みるみるほどけ、涙がこぼれだした。

そしてハルヒの手をぎゅうっとにぎりかえすと、しぼりだすような声をあげる。

…て
ぎゅう…
たすけてっ…

〈…………助けてっ…………〉

〈うん！　いっしょに行こう！〉

ハルヒは雛子の体を、土のなかからひきあげ、助けおこす。

そのふたりを、穴の上の黒い人影たちは、猫のように目を光らせて見おろしていた。

まるで、絶対に生贄を逃すまいとねらっているかのようだ。

●

大ばぁちゃんが突然倒れてしまった緑川の家では、大変な騒ぎになっていた。

「救急車はどうする？」

「谷垣さんとこさ電話すべ」

谷垣さんというのは、大ばぁちゃんのかかりつけの医者のことだ。

「都会の病院に電話したほうがいいんでねぇか」

書斎に間に合わせで敷いた布団の上に、大ばぁちゃんは横たえられていた。

すうすうとおだやかに呼吸をして、まるで眠っているようだ。

枕もとでは、祖父や祖母たちが話しあっている。

「いや、動かさねぇほうが……」

「歳も歳だし」

「病院で最期むかえるのはいやだって、いつも言ってるがらなぁ……」

チハルはその様子を、書斎の外の縁側からながめていた。

（こんなにいろいろなことが同時に起きるなんて）

ハルヒの体がのっとられ、廃校で知紗がいなくなり、大ばぁちゃんまで倒れてしまった。

すべては暮知雛子に関係している。

――家族をとめて……。

雛子はそう言って、かけだしていった。

（生贄は神に供物をささげる儀式だ。たいていは、大勢の同意のもとで行われるもの。

きっと家族、いや、村ぐるみで雛子さんをささげものにするときめたにちがいない）

ということは、雛子の家族をとめることができれば、すべてが解決するのかもしれなかった。

(でも、どうすればいい。あの家族をとめるには………)

生贄の儀式を行った理由は、神様に雨が降るようにとお願いするため。

(つまり雨が降れば………)

チハルはスマートフォンで天気予報を調べた。しかし、今夜の降水確率は0パーセント。

雨が降ることはない。

「なにかかわりになるものがあれば………水………空――」

上を見あげると、夜空は雲ひとつなく晴れ、月と星が輝いていた。

「降る………」

広い庭では、祭りの準備をしていた親せきや近所の人たちが途方に暮れている。

「祭りは中止だな」

「職人さんには事情を話すべ」

「んだな。七時半開始だから………あと十五分ぐれぇだ」

その会話を耳にしたチハルは、突然あることをひらめき、静かに目を輝かせた。

「じいちゃん、ちょっと待って。中止にしないで」

「ええ？」

祖父たちが戸惑って顔を見合わせる。

ちょうどそのとき、チハルのスマートフォンに、恭からメッセージがとどいた。

見ると「知紗とハルヒみつけた。廃校近くの森にいる」とある。

（廃校…………!!）

「じいちゃん、祭りは中止にしないで、そのまま準備をすすめて。俺、廃校に行ってくるから！」

チハルはそう言いのこし、かけだした。


それより少し時間がさかのぼった、七時ごろのことだ――。

緑川の家を飛びだしてきた明日葉と恭は、村役場の近くまで走ってきた。

ふたりとも息をきらし、両手をひざについて苦しそうにかがむ。

「…………横浜、おめ、なかなか走れるでねぇか」

「バカにすんなよ…………」

恭は呼吸をととのえながら、あたりを見まわした。

「あそこでいいのか？」

「知紗はあそこでいねぐなったんだ。ここしかねぇ」

ゆるやかな坂になった暗い山道を、ふたりは廃校にむかって急ぎ足ですすんでいく。

あたりは街灯がほとんどなく、月明かりだけがたよりだ。

あまりに暗い場所は、恭がスマートフォンのライトで照らして歩く。

しばらくすすむと、校舎のある平らな草地にたどりついた。

「知紗ーっ！」

明日葉が大声で呼びかけるが、返事はない。

「聞こえたら返事して！」

「知紗ー！」

「知紗ちゃーん！」

何度も何度も名前を呼びながら、ふたりは校舎のまわりをさがしてまわった。

と、そのときだった。どこからか、ザッザッという音が聞こえてくる。

「なんの音だべ？」

「土を掘ってる音っぽいけど」

明日葉と恭は、音をたどってかけていく。必死に音を追いかけているうちに、気づいたときには校舎の裏手の森に入りこんでいた。

やがて、木々がとぎれ、土のあらわな空き地が見えはじめると、明日葉が叫んだ。

「横浜、あそこ見れ！」

明日葉が指ししめした場所に、誰かが倒れている。

かけ寄っていったふたりは、息をのんだ。

「知紗！　ハルヒ！」

土の上に寄りそうように倒れていたのは、知紗とハルヒだ。

知紗が着ているピンク色の浴衣も、ハルヒのTシャツも、土でひどく汚れている。特に知紗は、埋められていたかのように、土まみれだった。

「知紗、起ぎれっ！」

明日葉が体をゆすると、知紗はぼんやりと目を覚ました。

「…………う、あれ？　明日葉姉…………」

一方、ハルヒは息をしているようだが、まぶたを閉じたまま動かない。


そのとき、明日葉と恭には見えず、聞こえないことが起きていた。

〈みんな！　逃げて！〉

少しはなれた場所にいた幽霊ハルヒが叫ぶ。

〈知紗ちゃんをつれて逃げて！〉

もちろん、実体のない幽霊ハルヒがいくら叫んでも、明日葉と恭は気づかない。

〈早くここから逃げ――〉

みんなのところに走っていこうとした幽霊ハルヒの体が、うしろからぐいとつかまれる。

振りかえると、何体もの黒い人影が、幽霊ハルヒの体にしがみついていた。

あっちには行かせまいと、おそろしい顔をしてすがりついてくる。

人影は、知紗の体もつかんで、明日葉から奪いとろうとしていた。

「？　体が重……………なんで知紗、こっだ重いんだ？」

知紗を抱きおこしていた明日葉が、思わず前にのめる。幽霊のことが見えない彼女でさえ、異常な気配を感じとったようだ。

「ここさいだらダメだ！　横浜！　おめだけでも逃げれ！」

「ことわる」

と、恭はむすっと口をむすぶ。

「横浜…………」

「どーせあとで、都会人は～、とか言うんだろ？」

憎まれ口をたたいているが、恭もみんなを助けたいのだった。すばやくスマートフォンでチハルにメッセージを送る。

――知紗とハルヒみつけた。廃校近くの森にいる。

明日葉に抱きついていた知紗が、突然わっと泣きだした。

「こわいよぉ！」

しかし、いつもは軽々と抱っこできる知紗の体が、なぜか何倍も重くなっていて、いっこうに持ちあげることができない。

怨霊となった村人たちが、その体をずりずりとひっぱっているからだ。

動けないのは、幽霊ハルヒと雛子も同じだった。黒い村人たちの強い力で、その場につなぎとめられていた。

〈もうやめて……誰か……助けてあげて……〉

雛子が身をよじるが、逆にひきずり倒されそうになる。

幽霊ハルヒは、足をとられそうになりながら叫ぶ。

〈誰かっ！〉

自分の声が誰にも聞こえないのはわかっているが、それでも力いっぱい叫んだ。

〈チハル兄っ！〉

そのときだった。

上空がぱっと明るくなり、夜空いっぱいに、大きな花火が輝いた。

ドン！　とあとから音が追って聞こえてくる。

みんなはいっせいに空を見あげた。

明日葉と恭は息をつめて空をみつめ、知紗は花火にびっくりして泣きやむ。

幽霊ハルヒと雛子も、おどろきに目をまるくする。

同時に、知紗たちにしがみついていた黒い村人たちの動きもとまった。

二発目、三発目の花火があがった。

ヒュー…………ドン！　ドン！

空一面に金色の花が咲き、光がさらさらと尾をひいて落ちてくる。

まるで天空から雨が降りそそいでくるようだった。

〈あ、め…………〉

雛子が思わず声をあげた次の瞬間。

〈雨だべっ〉

聞きなれない少女の声が、かげたちにそう言った。

少女の顔は幽霊ハルヒには見えなかったが、おかっぱ頭で、ハルヒや雛子と同じ背格好だ。

〈おじちゃん、おばちゃん、みんな上見れっ。雨だ〉

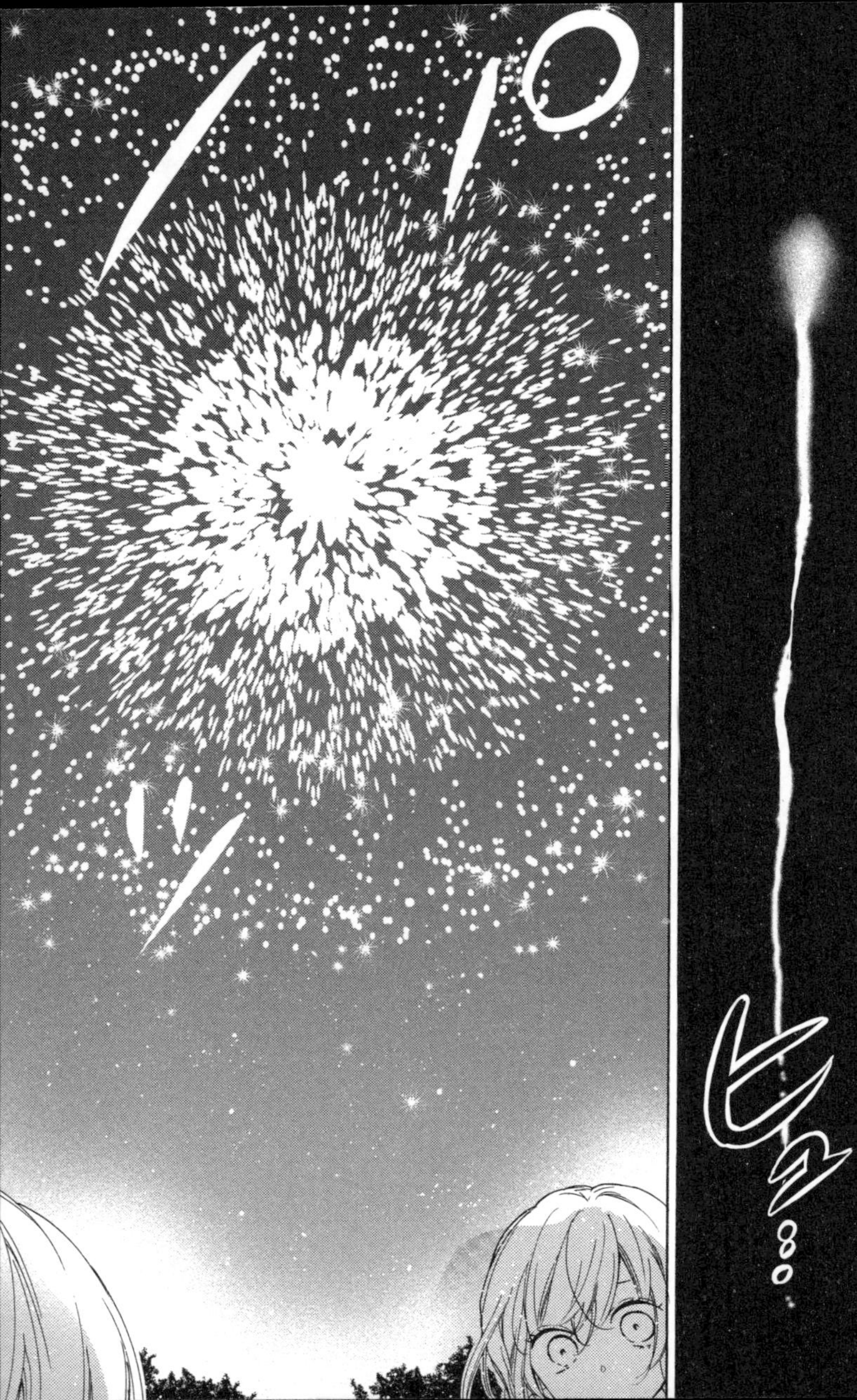
ヒュ…
パッ

あ…
…雨だべっ
おじちゃん
おばちゃん
皆っ
上見れっ

少女にうながされ、村人たちのかげはいっせいに空を見あげる。
次々と打ちあがる花火を指さし、少女はきっぱりと言いはなつ。
〈もう生贄はいらねぇべ〉
〈――雨〉
ひとりのかげがそうつぶやくと、ほかのかげたちもつづく。
〈やっとだな〉
〈雨だ………〉
〈神様〉
すると、黒いかげだった彼らの顔や体に異変が起きた。
次第に人間の姿に――雛子の両親や祖父母、村人たちの姿に戻っていく。
人間らしい姿をとりもどした彼らは、次は、だんだんと透明になっていった。
やがて白い光の玉となり、ひとつ、またひとつと天に昇っていく。
たんぽぽの綿毛のようにふわふわと飛んでいく白い玉を、雛子はみつめた。
〈お父ちゃん、お母ちゃん………〉

最後のひとつが見えなくなると、雛子はほっとしたように視線をさげた。

雛子の家族も、村人たちも、みんな行ってしまった。もう二度と生贄をさがしてさまようことはないだろう。

次は雛子の番だ。

おかっぱ頭の少女が雛子とハルヒに近づいてくる。

少女はハルヒを見て、おどろいたように口をぽかんと開けた。

〈ハルヒか〉

ハルヒのほうはもっとおどろいた。

〈えっ!?　なんで私のこと――〉

〈おめはチハルのとこさ帰れ。みんな待ってる〉

〈え？　チハル兄のことも知ってるの？〉

少女はハルヒに背をむけ、雛子のとなりへまっすぐに歩いていく。

〈あ、あの…………〉

うしろ姿に声をかけると、少女は振りかえり、やさしい微笑みを浮かべた。

〈…………ありがとな、ハルヒ〉

そう言うと、また雛子のほうへ歩いていく。

少女をむかえた雛子の目から、涙がこぼれた。

ふたりはにっこり笑うと、手をとって歩きだす。

その姿が、光のなかへ消えていく。

〈ありがとな、ハルヒ――――〉


ハルヒ――――。

「ハルヒ！」

チハルの声が聞こえてきて、横たわっていたハルヒは目を覚ました。

みんながまわりに集まり、のぞきこんでいる。

「大丈夫だが!?」

明日葉がいまにも泣きだしそうな顔をして、ハルヒに声をかけた。

「あれ……みんな……あのふたりは？」

まだ頭がぼんやりしていた。さっきまで雛子と、雛子をつれていった少女が近くにいたはずだったが、どうなったのだろう。

「ふたり？」

チハルは気づいた。口調が、もとのハルヒに戻っている。

「ハルヒなのか？　戻れたのか!?」

ハルヒは起きあがり、両手をひろげて自分の体をたしかめてみた。

幽霊のときに着ていたチュニックではなく、Tシャツと短パンを着ている。体じゅうが土まみれで、おまけに裸足だ。たしかに自分の体だった。

「うん。戻ったよ」

顔をあげると、まだ頬に涙の跡が残る知紗が、ハルヒにとびついた。

「わあ〜。いがった！」

「心配かけんなや」

明日葉があきれたように言う横で、恭がほっとした表情を浮かべている。

そのとき、叔父がかけ寄ってくる。

「おめだち、こんなところにいたなが！」

次々と家を飛びだしていった子どもたちを呼びもどすために、ここまで来たのだった。

「早く戻れ！　大ばぁちゃんが………」

「え？　大ばぁちゃんに、なんかあったなが？」

大ばぁちゃんが倒れたことを知っているのは、いとこたちのなかでチハルだけだ。幽霊になっていたハルヒは当然のこと、先に家をでてしまった明日葉や恭も知らなかった。

叔父に大ばぁちゃんのことを聞かされた明日葉たちはひどく動揺し、みんなは急いで緑川の家に戻った。


帰ってくるなり、子どもたち五人は血相を変えて書斎に入っていく。

ハルヒも知紗も土で汚れたままだったが、着替えもせずにかけこんだ。

「大ばぁちゃん………」

かかりつけの医者が来て、脈をとっている。

五人は大人たちといっしょに枕もとにしゃがみ、そっと大ばぁちゃんを見守った。

いつも結っている髪はほどかれ、やつれた顔をして、もう息をしていないように見える。

「大ばぁちゃん！」

ハルヒが呼びかけたそのときだった。

大ばぁちゃんのまぶたがゆっくりと開き、唇が小さく動いた。なにか言っている。

「まだ来ねくていいって、ひ孫と仲良ぐしれってさ………」

そして、愛おしそうに微笑む。

「雛子のやづ………」

その微笑む顔を見て、ハルヒはおどろき、言葉を失った。

あのおかっぱ頭の少女と同じ微笑みだったのだ。

（大ばぁちゃんが、あの女の子だったんだ………）

少女がハルヒとチハルのことを知っていた理由が、そのときにやっとわかった。

雛子は親友をつれていかなかった。だから大ばぁちゃんは、意識をとりもどしたのだ。

ハルヒを帰し、雪枝ともいっしょには行かず、雛子は家族や村人たちと成仏する道を選んだのだった。

ハルヒは大ばぁちゃんの手をにぎり、ゆっくりとうなずく。

「うん。私、大ばぁちゃんと、もっと仲良くしたいよ」

そして、雛子があの世で心穏やかに暮らしていけますようにと、強く願った。

●

田舎での時間はあっという間にすぎた。

大ばぁちゃんは、翌日にはもう起きあがって家事をはじめ、いつもと同じ調子で嫌みを言えるほどに回復した。

ハルヒたちが帰る日、明日葉と知紗は最寄り駅のホームまで見送りに来てくれた。

「ハルヒちゃん！　来年はぜーったいいっしょにお祭り行ぐべ!!」

知紗もすっかり元気になり、ハルヒにまとわりつく。

「あはっ。うん、約束ね！」

「チハルくんも！」

「うん。またね、知紗ちゃん」

「次はもうこんなの、こりごりだからな？」

明日葉がため息をつくので、ハルヒは苦笑いをした。

「私もだよ」

「したら、また来年な？」

最初はあんなにつっけんどんだった明日葉が、「来年な」なんて言うとは。

ハルヒは、びっくりして一瞬、返事を忘れてしまった。

「うん！」

恭はひと足先に電車にのりこんでしまい、もうホームにはいない。

「横浜、逃げ足速ぇな」

「恭くんにも、また来年って伝えとくよ」

ハルヒとチハルは電車にのり、手を振る。

「じゃあね！　またね！」

すぐに電車は動きだした。

（ありがとう。明日葉ちゃん、知紗ちゃん）

座席に行くと、となりのボックスシートに座る恭が母親と話をしていた。

「恭、誰とラインしてるの？」

「明日葉。都会のパンケーキ屋つれてけって」

「あら！　いつの間に仲良くなったのよ」

「別に」

相変わらず仏頂面だったが、来たときとはちがい、いまの恭はとても楽しそうだった。

ハルヒはくすっと笑い、となりのチハルにこぼす。

「来年は私も、もっとみんなと仲良くなりたいな」

「そうだな」

チハルは田舎での数日間を思いだしているのか、満足そうに微笑む。

「すごい大冒険の夏だったな」

「大冒険て。私はさんざんだったよ」

オカルトマニアのチハルにとっては大冒険だったかもしれないが、ハルヒの場合は好きで巻きこまれているわけじゃない。

なぜかふしぎなことが起きて、いつもハルヒが振りまわされてしまうのだ。

「まあ、死ぬほどこわかったけど………思い出にはなったかな」

そう言ってハルヒはシートに背をあずける。

すると、窓の外を見ていたチハルが声をあげた。

「あれ。大ばぁちゃんじゃないか？」

「うそっ、どこ!?」

チハルが遠くの、電車のすすむ方向を指さす。

見れば、畑にはさまれた小道に、涼やかな和服を着て、レースのついた日傘をさした大ばぁちゃんが立っていた。

「来てくれたんだ」

チハルが立ちあがり、ガタンと窓を開ける。

草のにおいのする風が入りこんできて、ハルヒとチハルの鼻をくすぐった。

「大ばぁちゃーん！」

「おーい！」

ふたりが手を振ると、大ばぁちゃんはしかつめらしい顔のまま、手を振りかえした。

そのうしろに、ぼうっとかげろうのように立つ人影がある。

雛子の霊だった。

雛子は大ばぁちゃんの背後で、長い髪をゆらし、ほがらかに笑っている。

ハルヒはほっとしてつぶやいた。

「またね」

また来年。

みんなに会いに来るね。

エピローグ

これで、百二十八時間目の授業は終わりです。
ひと夏の大冒険……ならぬ、ひと夏の恐怖体験はいかがでしたか？
八十年以上のときをこえ、「助けてほしい」と願った少女。
彼女の思いは、親友とハルヒたちの力によって、とげられました。
少女の霊はずっと、みんなから見捨てられたと思っていたのでしょう。
だからさびしくて、ハルヒのところにやってきたのかもしれませんね。
いまでは非常識に思えるような儀式でも、当時は真剣に行われていたのです。
生贄の儀式も、そのひとつ。
世界各地で、同じような儀式は行われてきました。
古い土地には、昔からの言い伝えも残っていますし、調べてみるとおもしろいかもしれませんよ。
オカルト好きのチハルのようにね。
もしかしたら、あなたの住んでいる土地にも…………。
ただし、悪霊にとりつかれてしまっても、自己責任でお願いします。
それでは、次回の絶叫学級でお会いしましょう!

こんにちは
もうひとつの絶叫学級へようこそ
今回も皆さんご所望の怖い話をご紹介します
サー…
ある若い男がアパートの一室を訪ねました
ピンポーン
そこにはマッチングアプリで知り合った女性が…
あらあら何だかいい雰囲気
しかし彼は女性ばかりを狙う連続殺人鬼だったのです
絶叫学級
課外授業「イケニエ1R」
RMC『絶叫学級 転生』⑱巻 授業81

殺す、タイミングを計る彼
そうとは知らず手料理をふるまう彼女
しかし…
彼女にもある狙いが…
2人きりだと思っていた1Rにひそむ何かの気配
果たしてこの影の正体は…
この1Rから生きてでられるのは一体誰なのでしょうか
結末が気になる方は
ぜひ『絶叫学級 転生』18巻の「イケニエ1R」を読んでみてくださいね♡
絶叫学級

この作品は、集英社よりコミックスとして刊行された『絶叫学級 転生』4、8巻をもとに、ノベライズしたものです。

集英社みらい文庫

絶叫学級(ぜっきょうがっきゅう)

パーティーのいけにえ 編(へん)

いしかわえみ　原作・絵

はのまきみ　著

ファンレターのあて先
〒101-8050　東京都千代田区一ツ橋2-5-10　集英社みらい文庫編集部
いただいたお便りは編集部から先生におわたしいたします。

2022年10月31日　第1刷発行

発行者　今井孝昭
発行所　株式会社 集英社
〒101-8050　東京都千代田区一ツ橋2-5-10
電話　編集部 03-3230-6246
読者係 03-3230-6080
販売部 03-3230-6393（書店専用）
https://miraibunko.jp
装　丁　平松はるか（クリエイションハウス）　中島由佳理
印　刷　凸版印刷株式会社
製　本　凸版印刷株式会社

★この作品はフィクションです。実在の人物・団体・事件などにはいっさい関係ありません。
ISBN978-4-08-321749-4　C8293　N.D.C.913　206P　18cm

「みらい文庫」読者のみなさんへ

言葉を学ぶ、感性を磨く、創造力を育む……、読書は「人間力」を高めるために欠かせません。
たった一枚のページをめくる向こう側に、未知の世界、ドキドキのみらいが無限に広がっている。
これこそが「本」だけが持っているパワーです。

学校の朝の読書に、休み時間に、放課後に……。いつでも、どこでも、すぐに続きを読みたくなるような、魅力に溢れる本をたくさん揃えていきたい。読書がくれる、心がきらきらしたり胸がきゅんとする瞬間を体験してほしい、楽しんでほしい。みらいの日本、そして世界を担うみなさんが、やがて大人になった時、「読書の魅力を初めて知った本」「自分のおこづかいで初めて買った一冊」と思い出してくれるような作品を一所懸命、大切に創っていきたい。

そんないっぱいの想いを込めながら、作家の先生方と一緒に、私たちは素敵な本作りを続けていきます。「みらい文庫」は、無限の宇宙に浮かぶ星のように、夢をたたえ輝きながら、次々と新しく生まれ続けます。

本を持つ、その手の中に、ドキドキするみらい――。
本の宇宙から、自分だけの健やかな空想力を育て、〝みらいの星〟をたくさん見つけてください。
そして、大切なこと、大切な人をきちんと守る、強くて、やさしい大人になってくれることを心から願っています。

2011年　春

集英社みらい文庫編集部